6년간 공인중개사 최다 합격자 배출 기록

합격자 수 1위
에듀윌

합격자 모임 실제 현장 (서울 강남 코엑스)

6년간 아무도 깨지 못한 기록

합격자 수 1위
에듀윌

합격자 수가 많은 이유는 분명합니다

6년간 합격자 수

1위

에듀윌 합격생 10명 중 9명

1년 내 합격

베스트셀러 1위

12년간

합격률

4.5배

에듀윌 공인중개사를 선택하면
합격은 현실이 됩니다.

합격자 수 1위 에듀윌 4만* 건이 넘는 후기

부알못, 육아맘도 딱 1년 만에 합격했어요.

고○회 합격생

저는 부동산에 관심이 전혀 없는 '부알못'이었는데, 부동산에 관심이 많은 남편의 권유로 공부를 시작했습니다. 남편 지인들이 에듀윌을 통해 많이 합격했고, '합격자 수 1위'라는 광고가 좋아 에듀윌을 선택하게 되었습니다. 교수님들이 커리큘럼대로만 하면 된다고 해서 믿고 따라갔는데 정말 반복 학습이 되더라고요. 아이 둘을 키우다 보니 낮에는 시간을 낼 수 없어서 밤에만 공부하는 게 쉽지 않아 포기하고 싶을 때도 있었지만 '에듀윌 지식인'을 통해 합격하신 선배님들과 함께 공부하는 동기들의 위로가 큰 힘이 되었습니다.

군복무 중에 에듀윌 커리큘럼만 믿고 공부해 합격

이○용 합격생

에듀윌이 합격자가 많기도 하고, 교수님이 많아 제가 원하는 강의를 고를 수 있는 점이 좋았습니다. 또, 커리큘럼이 잘 짜여 있어서 잘 따라만 가면 공부를 잘 할 수 있을 것 같아 에듀윌을 선택했습니다. 에듀윌의 커리큘럼대로 꾸준히 따라갔던 게 저만의 합격 비결인 것 같습니다.

5개월 만에 동차 합격, 낸 돈 그대로 돌려받았죠!

안○원 합격생

저는 야쿠르트 프레시매니저를 하다 60세에 도전하여 합격했습니다. 심화 과정부터 시작하다 보니 기본이 부족했는데, 교수님들이 하는 대로 기본 과정과 책을 더 보면서 정리하며 따라갔던 게 주효했던 것 같습니다. 합격 후 100만 원 가까이 되는 큰 돈을 환급받아 남편이 주택관리사 공부를 한다고 해서 뒷받침해 줄 생각입니다. 저는 소공(소속 공인중개사)으로 활동을 하고 싶은 포부가 있어 최대 규모의 에듀윌 동문회 활동도 기대가 됩니다.

다음 합격의 주인공은 당신입니다!

더 많은
합격 비법

시작하는 데 있어서
나쁜 시기란 없다.

– 프란츠 카프카(Franz Kafka)

에듀윌 공인중개사

한손끝장

부동산학개론

eduwill

| 저자의 말

아직 늦지 않았습니다!

공인중개사 시험은 총 6개 과목으로 이루어져 있습니다. 그중 부동산학개론 과목은 경제학에 기반을 둔 과목이고, 나머지는 법과목으로 이루어져 있습니다.

다른 모든 시험처럼 공인중개사 시험의 기출문제도 반복 출제됩니다. 또한 공인중개사 시험은 절대평가 시험이므로 평균 60점, 과목별 40점만 넘기면 합격할 수 있는 시험입니다.

그럼에도 평소 시간이 부족한 직장인, 자영업자 종사자, 주부들은 시간에 대한 부담감으로 공인중개사 시험 도전에 주저하는 경우가 많습니다. 하지만 전략적이고 효율적인 공부 방법을 찾는다면 충분히 합격할 수 있습니다.

시험에 나오는 부분만 효과적으로 회독할 수 있도록 구성한 이 책으로 제32회 시험 합격의 주인공이 되어 보세요.

공인중개사 시험 도전! 포기하지 마세요. 아직 늦지 않았습니다.

저자 **이영방**

약 력
- 現 에듀윌 부동산학개론 전임 교수
- 前 EBS 명품 부동산학개론 강사
- 前 부동산TV, 방송대학TV, 경인방송 강사
- 前 전국 부동산중개업협회 사전교육 강사
- 前 대한주택공사 직무교육 강사

저 서
에듀윌 공인중개사 부동산학개론 기초서, 기본서,
단원별/회차별 기출문제집, 핵심요약집,
출제예상문제집+필수기출, 실전모의고사,용어집,
민개공 30일끝장, 한손끝장 집필

이 책의 특징

1
휴대용
휴대하면서 학습하기
적절한 사이즈와 형태!

이동 시간을
활용하며 학습

2
초압축
5개년 빈출을
한손에 압축!

기본서, 요약집
회독 후 단권화 요약

3
단기완성
7일 동안 한 권을 끝낼 수
있도록 최적화된 구성!

시험 직전 빠르게
마무리 정리

에듀윌 공인중개사 한손끝장으로
합격이 한손에 잡힌다!

┃이 책의 구성

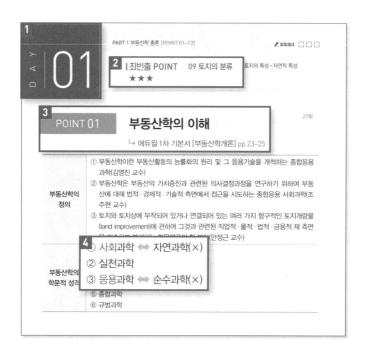

1 5개년(27회~31회) 빈출 POINT를 7일 동안 빠르게 확인! 빠르게 회독 수를 늘려가며 합격 굳히기!

2 오늘 배울 내용 중 최근 5년 동안 가장 많이 출제된 최빈출 POINT를 한눈에 보고 출제 경향 확인 가능!

3 최근 5개년 빈출만 압축하여 선별된 POINT별 학습으로 빠르게 핵심 파악!
   + 이론이 부족한 부분은 기본서 연계 페이지를 확인하여 다시 한 번 체크!

4 주요 빈출 키워드에는 빨간색 글씨로 표시!

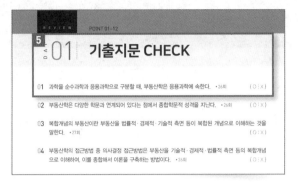

5 하루 학습 마무리로 그날 학습했던 이론과 관련된 기출지문 OX 문제를 풀어보며 이론을 정확히 이해했는지 CHECK!

* 일부 기출지문은 개정된 법령 및 출제경향을 반영하여 수정하였습니다.

합격 굳히기! 특별제공

▲ 강의 수강 바로가기

에듀윌 도서몰(book.eduwill.net) → 동영상강의실 → '공인중개사' 검색

1. 파이널 적중 강의 제공

최근 5개년 기출분석으로 선별된 최빈출 POINT 강의!

강의가 수록되어 있는 POINT는 본문에 동영상표시 확인!

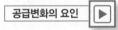

공급변화의 요인

2. 학습 플래너 제공

◀ **7일끝장 플래너**

7일 동안 전체 분량 학습 완료! 빠르게 회독 수 늘려가기

◀ **셀프 플래너**

전체적인 흐름과 체계 파악! 나의 흐름에 맞게 학습!

| 7일끝장 플래너&셀프 플래너

▶ 7일끝장 플래너

DAY	학습 범위		페이지	학습한 날	확인
DAY 01	PART 1		p. 12	월 일	☐
DAY 02	PART 2	POINT 01~33	p. 34	월 일	☐
DAY 03		POINT 34~57	p. 78	월 일	☐
DAY 04		POINT 58~77	p. 114	월 일	☐
DAY 05		POINT 78~103	p. 147	월 일	☐
DAY 06	PART 3	POINT 01~21	p. 196	월 일	☐
DAY 07		POINT 22~36	p. 223	월 일	☐

▶ 셀프 플래너

	학습 범위	POINT	페이지	학습 날짜		확인
PART 1	CH 01 부동산학 서설	POINT 01~04	p. 12	월	일	☐
	CH 02 부동산의 개념과 분류	POINT 05~10	p. 16	월	일	☐
	CH 03 부동산의 특성	POINT 11~12	p. 26	월	일	☐
PART 2	CH 01 부동산경제론	POINT 01~22	p. 34	월	일	☐
	CH 02 부동산시장론	POINT 23~43	p. 56	월	일	☐
	CH 03 부동산정책론	POINT 44~57	p. 91	월	일	☐
	CH 04 부동산투자론	POINT 58~73	p. 114	월	일	☐
	CH 05 부동산금융론	POINT 74~87	p. 136	월	일	☐
	CH 06 부동산개발 및 관리론	POINT 88~103	p. 166	월	일	☐
PART 3	CH 01 감정평가의 기초이론	POINT 01~04	p. 196	월	일	☐
	CH 02 부동산가격(가치)이론	POINT 05~14	p. 200	월	일	☐
	CH 03 감정평가의 방식	POINT 15~28	p. 211	월	일	☐
	CH 04 부동산가격공시제도	POINT 29~36	p. 236	월	일	☐

PART 1

부동산학 총론

최근 5개년 출제비중

8%

출제 POINT 한눈에 보기

최근 5년간   ★★★ 4~5회 출제   ★★ 2~3회 출제   ★ 1회 이하 출제 / 분류기준에 따라 달라질 수 있음

| POINT 01 | 부동산학의 이해 | 27회 |

↳ 에듀윌 1차 기본서 [부동산학개론] pp.23~25

1 부동산학의 정의 및 학문적 성격

부동산학의 정의	① 부동산학이란 부동산활동의 능률화의 원리 및 그 응용기술을 개척하는 종합응용 과학(김영진 교수) ② 부동산학은 부동산의 가치증진과 관련된 의사결정과정을 연구하기 위하여 부동산에 대해 법적·경제적·기술적 측면에서 접근을 시도하는 종합응용 사회과학(조주현 교수) ③ 토지와 토지상에 부착되어 있거나 연결되어 있는 여러 가지 항구적인 토지개량물 (land improvement)에 관하여 그것과 관련된 직업적·물적·법적·금융적 제 측면을 기술하고 분석하는 학문연구의 한 분야(안정근 교수)
부동산학의 학문적 성격	① 사회과학 ⟺ 자연과학(×) ② 실천과학 ③ 응용과학 ⟺ 순수과학(×) ④ 경험과학 ⑤ 종합과학 ⑥ 규범과학

2 부동산학의 복합개념

무형적 측면	법률적 측면	부동산에 관계되는 제도적인 측면 ➡ 공·사법상의 여러 가지 규율이 부동산활동 등에 영향을 미치는 것
	경제적 측면	부동산의 가격에 관련된 측면 ➡ 가장 중요
유형적 측면	기술적 측면	부동산공간의 이용기법적 측면 ➡ 설계·시공·설비·자재·측량·지질·지형·토양 등

POINT 02 **부동산학의 접근방법**

↳ 에듀윌 1차 기본서 [부동산학개론] pp.26~28

종합식 접근방법	① 부동산을 기술적·경제적·법률적 측면 등의 복합개념으로 이해하여, 이를 종 합해서 이론을 구축하는 방법 ② 부동산을 복합개념으로 이해, 종합적 기능 발휘 ③ 시스템적 사고방식에 따라 부동산학 이론을 구축해야 한다는 연구방법
법·제도적 접근방법	① 법률적·제도적 측면에 이론적 기초를 두는 방법 ② 거래에 관한 이론적 측면에서 접근
의사결정 접근방법	① 인간은 합리적인 존재이며, 자기이윤의 극대화를 목표로 행동한다는 가정에 서 출발 ② 부동산에 대한 인간의 의사결정과정을 연구

부동산활동의 속성과 부동산업

↳ 에듀윌 1차 기본서 [부동산학개론] pp.31~35

1 부동산활동의 속성

과학성 · 기술성	① 부동산이론의 능률화 ➡ 과학성 ② 부동산실무의 능률화 ➡ 기술성	
사회성 · 공공성 · 사익성	부동산활동은 사회성과 공공성이 강조되지만 사익성도 존중해야 함	
전문성	부동산활동은 높은 전문성이 요구됨	
윤리성	고용윤리	종업원과의 관계
	조직윤리	동업자 및 동업자단체와의 관계
	서비스윤리	의뢰인과의 관계
	공중윤리	공중과의 관계
정보활동	부동산 주변현상에는 통제가 불가능한 요인이 많기 때문에 중요함	
대인 · 대물활동	부동산활동은 인간과 물건을 대상으로 하는 활동	
임장활동	부동산의 부동성으로 인해 현장조사 활동이 필요함	
공간활동	부동산활동은 수평공간, 공중공간, 지중공간을 대상으로 하는 활동	
배려의 장기성	부동산활동은 영속성으로 인해 장기적 관점에서 의사결정을 함	
복합개념	부동산활동은 법률적 · 경제적 · 기술적 측면 모두를 고려함	

2 한국표준산업분류(제10차)상의 부동산업

대분류	중분류	소분류	세분류	세세분류
부동산업	부동산업	부동산임대 및 공급업	부동산임대업	① 주거용 건물임대업 ② 비주거용 건물임대업 ③ 기타 부동산임대업
			부동산개발 및 공급업	① 주거용 건물 개발 및 공급업 ② 비주거용 건물 개발 및 공급업 ③ 기타 부동산개발 및 공급업
		부동산 관련 서비스업	부동산관리업	① 주거용 부동산관리업 ② 비주거용 부동산관리업
			부동산중개, 자문 및 감정평가업	① 부동산중개 및 대리업 ② 부동산투자 자문업 ③ 부동산 감정평가업

부동산활동(부동산학)의 일반원칙

└ 에듀윌 1차 기본서 [부동산학개론] pp.35~36

능률성의 원칙	① 부동산소유활동의 능률화 ➡ 최유효이용의 원칙
	② 부농산거래활동의 능률화 ➡ 거래질서 확립의 원칙
안전성의 원칙	① 복합개념의 안전성
	② 법률적 · 경제적 · 기술적 안전성을 고려
경제성의 원칙	① 경제원칙
	② 최소의 희생으로 최대의 효과를 올리려는 것

POINT 05 **부동산의 개념 – 법 · 제도적 개념**   27회, 29회

└ 에듀윌 1차 기본서 [부동산학개론] pp.39~44

1 부동산학의 구분

협의의 부동산	토지 및 그 정착물(민법 제99조 제1항) ➡ 「민법」상 부동산
광의의 부동산	협의의 부동산 + 의제(준)부동산

2 협의의 부동산

토 지	의 의	인위적으로 구획된 일정 범위의 지면에 정당한 이익이 있는 범위 내에서 상하(공중과 지하)를 포함
	범 위	① 토지소유자는 법률의 범위 내에서 토지를 사용, 수익, 처분할 권리가 있음 ② 토지의 소유권은 정당한 이익 있는 범위 내에서 토지의 상하에 미침(민법 제212조) ③ 지하에 매장된 미채굴의 광물은 광업권과 조광권의 객체로서 토지소유권이 미치지 않음
토지정착물	독립 정착물	① 토지와 별개로 거래될 수 있음 ② 건물, 명인방법에 의한 수목 또는 수목의 집단, 등기완료된 수목의 집단(입목), 농작물
	종속 정착물	① 토지와 함께 거래됨 ② 돌담, 교량, 축대, 도로, 제방, 매년 경작을 요하지 않는 나무나 다년생식물 등
동산으로 취급	토지 정착물×	판잣집, 컨테이너박스, 가식(假植) 중인 수목 등

3 협의의 부동산 + 의제(준)부동산 ➡ 광의의 부동산

의제(준) 부동산	의 의	본질은 부동산이 아니지만 등기·등록 등의 공시방법을 갖춤으로써 부동산에 준하여 취급되는 특정의 동산이나 동산과 일체로 된 부동산의 집단
	종 류	공장재단, 광업재단, 어업권, 선박, 항공기, 자동차, 건설기계(중기) 등

POINT 06

부동산의 개념 – 경제적 개념

30회

↳ 에듀윌 1차 기본서 [부동산학개론] pp.45~46

자 산	① 사용가치로서의 자산성 ➡ 소유 · 이용의 대상 ② 교환가치로서의 자산성 ➡ 거래 · 투자의 대상
자 본	① 토지 ➡ 자본증식의 수단, 자연자본, 기업 입장에서는 자본재로서의 성격 ② 주택 ➡ 소비자 자본
생산요소	생산물 = f(노동, 자본, 토지) ① 토지 ➡ 노동, 자본 등과 더불어 생산요소 중 하나 ② 생산의 3요소: 노동, 자본, 토지
소비재	토지 ➡ 생산재이자 소비재
상 품	부동산 ➡ 시장에서 거래되는 상품

POINT 07

부동산의 개념 – 물리적 개념

27회, 30회

↳ 에듀윌 1차 기본서 [부동산학개론] pp.46~52

1 자연 및 공간

자 연	① 토지 ➡ 자연환경, 자연자원 ② 사회성 · 공공성 ➡ 사익보다 공익 중시 ③ 부증성과 밀접한 관련이 있음
공 간	① 수평공간 + 지중(지하)공간 + 공중공간 ➡ 3차원 공간 ② 부동산활동은 공중 · 지표 · 지하를 포함하는 3차원 공간을 대상으로 전개 ③ 부동산의 재산가치는 3차원 공간가치 ④ 공간에서 창출되는 기대이익의 현재가치를 부동산가치로 본다면, 이는 부동산을 단순히 물리적 측면뿐만 아니라 경제적 측면을 포함하여 복합적 측면에서 파악한 것 ⑤ 공간으로서의 부동산의 개념은 부동산의 특성 중 영속성과 밀접한 관련이 있음

➕ 부동산소유권의 공간적 범위

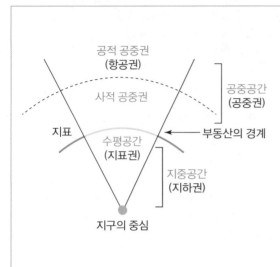

토지의 소유권은 정당한 이익 있는 범위 내에서 토지의 상하에 미침

1. 수평공간 ➡ 지표권: 토지지표를 배타적으로 이용하여 작물을 경작하거나 건물을 건축할 수 있는 권리
   • 유역주의: 습윤지역에서 인정
   • 선용주의: 건조지역에서 인정
2. 지중(지하)공간 ➡ 지하권: 지하공간에서 어떤 이익을 얻거나 지하공간을 사용할 수 있는 권리
   • 한계심도 이내 ➡ 손실보상
   • 모래, 자갈, 흙, 지하수(○)
   • 광업권의 객체인 미채굴광물
3. 공중공간 ➡ 공중권: 일정한 고도까지 포괄적으로 이용할 수 있는 권리

2 위치 및 환경

위 치	① 절대적 위치: 부동성
	② 상대적 위치: 인접성
	③ 위치가치: 마샬(A. Marshall)은 위치의 중요성을 강조
	④ 접근성
	   ㉠ 개념: 어떤 목적물에 도달하는 데 시간적·경제적·거리적·(심리적) 부담의 정도를 말함
	   ㉡ 특 징
	     • 원칙: 접근성이 좋을수록 부동산의 입지조건이 양호하고 가치가 높음
	     • 예외: 위험혐오시설, 용도에 맞지 않는 경우

환 경	① 어떤 부동산을 에워싼 자연적 · 사회적 · 물리적 · 경제적 제 상황을 말함
	② 부동산은 환경의 구성분자로서 환경으로부터 큰 영향을 받음
	③ 환경은 부동산활동을 지배하고 부동산현상에 영향을 미침
	④ 환경으로서의 부동산은 인접성과 관련됨

POINT 08   복합개념의 부동산과 복합부동산   27회

↳ 에듀윌 1차 기본서 [부동산학개론] pp.53

1 의 의

복합개념의 부동산	부동산을 법률적 · 경제적 · 기술적 측면 등이 복합된 개념으로 이해하는 것
복합부동산	토지와 건물이 각각 독립된 거래의 객체이면서도 마치 하나의 결합된 상태로 다루어져 부동산활동의 대상으로 인식되는 것

2 개념 및 특징

구 분	개 념	특 징
복합개념의 부동산	유 · 무형의 법률 · 경제 · 기술적 측면의 부동산	부동산학적 관점의 부동산
복합부동산 (개량부동산)	토지와 건물 및 그 부대시설이 결합되어 구성된 부동산	감정평가 시 일괄평가
복합건물	주거와 근린생활시설 등이 결합되어 있어 복합적 기능을 수행하는 건물 ⓔ 주상복합건물	감정평가 시 구분평가

토지의 분류   27회, 28회, 29회, 30회, 31회

↳ 에듀윌 1차 기본서 [부동산학개론] pp.54~63

1 택지, 대지, 부지

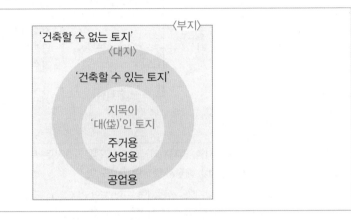

택지 (宅地)	① 건축물을 건축할 수 있는 토지 ② 주거용 · 상업용 · 공업용으로 이용 중이거나 이용가능한 토지
대지 (垈地)	① 건축할 수 있는 모든 토지(건축법상 용어) ② 지목과는 특별한 관계가 없음
부지 (敷地)	① 건물 · 철도 · 도로 · 하천 등의 바닥토지 ② 건축 가능한 토지 + 건축 불가능한 토지 ➡ 가장 포괄적 개념

2 후보지, 이행지

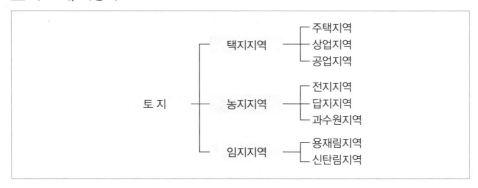

후보지 **(候補地)**	택지지역, 농지지역, 임지지역 상호간에 전환되고 있는 토지 ➡ 가망지(可望地), 예정지(豫定地)라고도 함	반드시 지목변경이 따름
이행지 **(移行地)**	① 택지지역(주택지역 · 상업지역 · 공업지역 간 이행) ② 농지지역(전지지역 · 답지지역 · 과수원지역 간 이행) ③ 임지지역(용재림지역 · 신탄림지역 간 이행) ➡ ①, ②, ③ 내에서 전환(이행)이 이루어지고 있는 토지	지목변경이 따를 수 도, 따르지 않을 수 도 있음

➡ 전환 중이거나 이행 중인 토지에 붙이는 용어
　전환이나 이행이 이루어지고 난 후에는 바뀐 후의 용도에 따라 부른다는 것에 유의할 것!

3 맹지, 대지

맹지 **(盲地)**	타인의 토지에 둘러싸여 도로에 어떤 접속면도 가지지 못하는 토지 ➡ 「건축법」에 의해 건물을 세울 수 없는 것이 원칙
대지 **(袋地)**	어떤 택지가 다른 택지에 둘러싸여 좁은 통로에 의해서 도로에 접하는 자루형의 모양 을 띠게 되는 택지 ➡ 건축 가능

4 필지, 획지

필지 (筆地)	① 하나의 지번이 붙는 토지의 등기·등록 단위 ② 토지소유자의 권리를 구분하기 위한 표시 ③ 권리를 구분하기 위한 법적 개념 ➡ 법률적으로 토지를 구분
획지 (劃地)	① 인위적·자연적·행정적 조건에 의해 다른 토지와 구별되는, 가격수준이 비슷한 일 　단의 토지 ② 부동산활동 또는 부동산현상의 단위면적이 되는 일획의 토지 ③ 가격수준을 구분하기 위한 경제적 개념 ➡ 경제적으로 토지를 구분

➕ 필지와 획지의 관계
  1. 필지와 획지가 같은 경우(1필지가 1획지가 되는 경우) ➡ 개별평가
  2. 여러 개의 필지가 하나의 획지를 이루는 경우(획지가 큰 경우) ➡ 일괄평가
  3. 하나의 필지가 여러 개의 획지가 되는 경우(필지가 큰 경우) ➡ 구분평가

5 나지, 건부지

나지 (裸地)	① 토지에 건물이나 그 밖의 정착물이 없고 지상권 등 토지의 사용·수익을 제한하는 　사법상의 권리가 설정되어 있지 아니한 토지 ② 건부지에 비하여 최유효이용이 기대되기 때문에 매매에 있어서 가격이 비싸고, 토 　지가격에 대한 감정평가의 기준이 됨
건부지 (建附地)	① 건물이 토지상의 부가물의 부지로 제공되고 있는 토지 ② 건물 및 그 부지가 동일 소유자에게 속하고, 해당 소유자에 의하여 사용되며, 그 부 　지의 사용·수익을 제약하는 권리 등이 부착되어 있지 않은 택지

➕ 건부감가와 건부증가

건부감가 (원칙)	① 공법상의 규제가 완화되었을 때 주로 발생 ② 건부감가는 지상의 건물이 견고할수록, 건물의 면적이 클수록 큼 ③ 나지 평가액 > 건부지 평가액 ➡ 건부감가
건부증가 (예외)	① 공법상의 규제가 강화되었을 때 주로 발생 ② 재개발구역 지정결정, 택지개발 예정구역 지정결정, 소수잔존자 보상대상 지역결정, 개발제한구역 지정결정, 용적률과 건폐율규제 강화결정 등의 경우 발생 ③ 나지 평가액 < 건부지 평가액 ➡ 건부증가

6 공지, 공한지

공지 (空地)	① 대지 중 건물공간을 제외하고 남은 토지 ② 「건축법」에 의한 건폐율 등의 제한으로 인해, 한 필지 내에 건물을 꽉 메워서 건축하지 않고 남겨 둔 토지
공한지 (空閑地)	도시 토지 중 지가상승만 기대하고 장기간 방치한 토지

7 법지, 빈지

법지 (法地)	① 법으로만 소유할 뿐 활용실익이 거의 없는 토지 ➡ 소유권(○), 활용실익(×) ② 택지의 유효지표면 경계와 인접지 또는 도로면과 경사된 토지부분
빈지 (濱地)	① 법으로 소유권이 인정되지 않으나 활용실익이 있는 토지(법지와 개념상 반대) ➡ 소유권(×), 활용실익(○) ② 일반적으로 바다와 육지 사이의 해변토지를 말하는데, 「공유수면 관리 및 매립에 관한 법률」에서는 해안선으로부터 지적공부에 등록된 지역까지의 사이, '바닷가'라 부름

8 기타 토지

소지(素地)	대지 등으로 개발되기 이전의 자연적인 상태 그대로의 토지
선하지(線下地)	고압선 아래의 토지 ➡ 선하지 감가를 행함
포락지(浦落地)	지적공부에 등록된 토지가 물에 침식되어 수면 밑으로 잠긴 토지
유휴지(遊休地)	바람직하지 못하게 놀리는 토지
휴한지(休閑地)	지력회복을 위해 농지 등을 정상적으로 쉬게 하는 토지

POINT 10   **주택의 분류 - 건축법**   28회

↳ 에듀윌 1차 기본서 [부동산학개론] pp.66~70

토지의 특성 – 자연적 특성

27회, 28회, 29회, 30회, 31회

↳ 에듀윌 1차 기본서 [부동산학개론] pp.73~77

토지가 본원적으로 지니고 있는 물리적 특성 ➡ 선천적·원천적·본질적·불변적·경직적인 특성

부동성	① 부동산활동 및 부동산현상, 부동산시장을 국지화 ② 지역분석, 외부효과 ③ 부분시장(sub-market, 하위시장), 지역시장 ④ 추상적 시장, 구체적 시장 ⑤ 임장활동, 정보활동, 중개활동, 입지선정활동(입지론의 근거)
영속성	① 감가상각의 적용 배제(물리적 감가 배제) ② 임대차시장 발달 ③ 가치와 가격의 구별 ④ 자본이득과 소득이득 향유
부증성	① 생산비의 법칙 적용 불가 ② 물리적 공급 불가, 경제적 공급 가능(➡ 용도의 다양성) ③ 토지이용을 집약화 ④ 경제지대 발생
개별성	① 물리적 대체 불가, 경제적 대체 가능(➡ 인접성) ② 일물일가(一物一價)의 법칙 적용 배제 ③ 개별분석 ④ 표준지 선정의 어려움
인접성	① 용도 면에서 대체가능성, 협동적 이용, 경계문제 ② 지역분석, 외부효과 ③ 개발이익의 사회적 환수논리

토지의 특성 – 인문적 특성

↳ 에듀윌 1차 기본서 [부동산학개론] pp.77~80

토지가 인간과 어떤 관계를 가질 때 나타나는 인위적 특성 ➡ 후천적 · 인위적 · 가변적인 특성

용도의 다양성	① 최유효이용의 근거 ② 적지론(適地論)의 근거 ③ 이행과 전환 가능 ④ 토지의 경제적 공급 ⑤ 가치의 다원적 개념
병합 · 분할의 가능성	① 용도의 다양성 지원 ② 합병 증 · 감가 또는 분할 증 · 감가 발생
위치의 가변성	① 사회적 위치의 가변성 　㉠ 공장의 전입 · 공원의 폐지 및 학교의 이전, 인구상태 및 가구구조의 변화 　㉡ 도시형성 · 공공시설의 확충 및 정비상태의 변화 ② 경제적 위치의 가변성 　㉠ 수송 및 교통체계의 정비 　㉡ 경제성장 · 소득증대 · 경기순환, 물가 · 임금 · 고용 등의 상태 ③ 행정적 위치의 가변성(행정의 지배성 · 피행정성 · 수행정성): 정부의 주택정책 · 　산림정책의 변화, 부동산가격공시제도의 변화 등

구 분		특 성
공 급	물리적 공급 ➡ 불가	부증성
	경제적 공급 ➡ 가능	용도의 다양성
대 체	물리적 대체 ➡ 불가	개별성
	경제적 대체 ➡ 가능	인접성, 용도의 다양성
감 가	물리적 감가 ➡ 불가	영속성
	기능적 감가 ➡ 가능	개별성
	경제적 감가 ➡ 가능	부동성, 인접성
분 석	지역분석	부동성, 인접성
	개별분석	개별성
	외부효과	부동성, 인접성
지 대	위치지대	부동성
	경제지대	부증성
입 지	입지론의 근거	부동성
	적지론의 근거	용도의 다양성
임장활동, 중개활동, 정보활동, 입지선정활동		부동성
부동산현상 & 활동, 부동산시장의 국지화		부동성
원가법 적용 불가		부증성, 영속성
토지에 감가상각 적용배제, 소모를 전제하는 재생산이론 적용 불가		영속성
토지의 수익이 영속적 ➡ 직접환원법 적용		영속성
임대차시장, 소득이득 & 자본이득 향유		영속성
일물일가의 법칙 불가, 표준지선정 곤란		개별성
가격다원설(가치의 다원적 개념)		용도의 다양성
최유효이용의 근거		부증성, 용도의 다양성

DAY 01 | 기출지문 CHECK

01 과학을 순수과학과 응용과학으로 구분할 때, 부동산학은 응용과학에 속한다. •26회 (O ┊ X)

02 부동산학은 다양한 학문과 연계되어 있다는 점에서 종합학문적 성격을 지닌다. •26회 (O ┊ X)

03 복합개념의 부동산이란 부동산을 법률적·경제적·기술적 측면 등이 복합된 개념으로 이해하는 것을 말한다. •27회 (O ┊ X)

04 부동산학의 접근방법 중 의사결정 접근방법은 부동산을 기술적·경제적·법률적 측면 등의 복합개념으로 이해하여, 이를 종합해서 이론을 구축하는 방법이다. •26회 (O ┊ X)

05 부동산학의 일반원칙으로서 안전성의 원칙은 소유활동에 있어서 최유효이용을 지도원리로 삼고 있다. •26회 (O ┊ X)

06 「민법」상 부동산은 토지 및 그 정착물에 의제부동산을 합한 것을 말한다. •27회 (O ┊ X)

07 토지소유자는 법률의 범위 내에서 토지를 사용, 수익, 처분할 권리가 있다. •29회 (O ┊ X)

08 토지의 소유권은 정당한 이익 있는 범위 내에서 토지의 상하에 미친다. •29회 (O ┊ X)

09 자본, 소비재, 생산요소, 자산은 부동산의 경제적 개념이다. •30회 (O ┊ X)

10 자산은 부동산의 경제적 개념에 해당한다. •23회 (O ┊ X)

 정답 01 O   02 O   03 O   04 X (의사결정 접근방법 → 종합식 접근방법)   05 X (안전성의 원칙 → 능률성의 원칙)
06 X (토지 및 그 정착물에 의제부동산을 합한 것 → 토지 및 정착물)   07 O   08 O   09 O   10 O

11 경제적 개념의 부동산은 자본, 자산으로서의 특징을 지닌다. •22회 (O ┊ X)

12 공간, 자연, 위치는 부동산의 물리적(기술적) 개념이다. •30회 (O ┊ X)

13 기술적 개념의 부동산은 생산요소, 자산, 공간, 자연 등을 의미한다. •27회 (O ┊ X)

14 공간으로서의 토지는 지표뿐만 아니라 지하와 공중을 포함하는 입체공간을 의미한다. •18회 (O ┊ X)

15 토지와 건물이 각각 독립된 거래의 객체이면서도 마치 하나의 결합된 상태로 다루어져 부동산활동의 대상으로 인식될 때 이를 복합개념의 부동산이라 한다. •27회 (O ┊ X)

16 대지(垈地)는 공간정보의 구축 및 관리 등에 관한 법령과 부동산등기법령에서 정한 하나의 등록단위로 표시하는 토지를 말한다. •30회 (O ┊ X)

17 부지(敷地)는 건부지 중 건물을 제외하고 남은 부분의 토지로, 건축법령에 의한 건폐율 등의 제한으로 인해 필지 내에 비어 있는 토지를 말한다. •30회 (O ┊ X)

18 택지는 주거·상업·공업용지 등의 용도로 이용되고 있거나 해당 용도로 이용할 목적으로 조성된 토지를 말한다. •29회 (O ┊ X)

19 맹지(盲地)는 타인의 토지에 둘러싸여 도로에 직접 연결되지 않은 한 필지의 토지를 말한다.
•22회 •24회 •28회 (O ┊ X)

20 빈지(濱地)는 물에 의한 침식으로 인해 수면 아래로 잠기거나 하천으로 변한 토지를 말한다.
•28회 •31회 (O ┊ X)

정답
11 O **12** O **13** X (공간, 자연 등은 기술적 개념에 해당하고 생산요소, 자산 등은 경제적 개념에 해당한다) **14** O
15 X (복합개념의 부동산 → 복합부동산) **16** X [대지(垈地) → 필지(筆地)] **17** X [부지(敷地) → 공지(空地)] **18** O
19 O **20** X [빈지(濱地) → 포락지(浦落地)]

21 1개 동의 주택으로 쓰이는 바닥면적의 합계가 660m² 이하이고, 주택으로 쓰는 층수(지하층은 제외)가 3개 층 이하일 것은 다중주택에 대한 요건 중 하나이다. •28회 (O | X)

22 다가구주택은 주택으로 쓰는 층수(지하층은 제외)가 3개 층 이하이며, 1개 동의 바닥면적(부설주차장 면적 제외)이 330m² 이하인 공동주택이다. •25회 (O | X)

23 토지의 영속성으로 장기투자를 통해 자본이득과 소득이득을 얻을 수 있다. •30회 (O | X)

24 토지의 자연적 특성 중 영속성에는 소모를 전제로 하는 재생산이론과 감가상각(감가수정)이론이 적용되지 않는다. •26회 (O | X)

25 토지의 영속성은 부동산활동을 임장활동화시키며, 감정평가 시 지역분석을 필요로 한다. •26회 (O | X)

26 부동산의 자연적 특성 중 부증성은 토지의 지대 또는 지가를 발생시키며, 최유효이용의 근거가 된다. •23회 •28회 (O | X)

27 토지의 소유 욕구를 증대시키는 것은 토지의 자연적 특성 중 개별성에 대한 특성 중 하나이다. •29회 (O | X)

정답 **21** O **22** X [330m² 이하인 공동주택이다 → 합계가 660m² 이하이어야 하고, 19세대(대지 내 동별 세대수를 합한 세대를 말함) 이하가 거주할 수 있어야 하며, 단독주택에 해당한다] **23** O **24** O **25** X (영속성 → 부동성) **26** O **27** X (개별성 → 부증성)

PART 2

부동산학 각론

출제 POINT 한눈에 보기

최근 5년간   ★★★ 4~5회 출제   ★★ 2~3회 출제   ★ 1회 이하 출제 / 분류기준에 따라 달라질 수 있음

| 최빈출 POINT　13 수요의 가격탄력성　　　29 효율적 시장이론
★★★　　　32 지대결정이론

POINT 01　부동산의 수요　31회

↳ 에듀윌 1차 기본서 [부동산학개론] pp.94~95

개 념	수 요	일정기간(시점) 동안에 소비자가 재화와 서비스를 구매하고자 하는 욕구
	수요량	일정기간(시점) 동안에 주어진 가격수준으로 소비자가 구입하고자 하는 최대 수량 ① 유량(流量, flow) 개념 ➡ 저량(貯量, stock)의 수요량도 존재 ② 구매하려고 의도된 양 ➡ 사전적 개념 ③ 구매력을 수반 ➡ 유효수요
유량 (流量, flow)		일정기간에 걸쳐서 측정하는 변수 ➡ 신규, 분양 ⑩ 임대료 수입, 지대수입, 가계소비, 신규 주택공급량, 주택거래량, 부동산회사의 당기순이익, 국민총생산
저량 (貯量, stock)		일정시점에 측정하는 변수 ➡ 기존, 재고(중고) ⑩ 주택재고량, 국부(國富), 보유부동산의 시장가치, 통화량, 도시인구, 재산총액, 외환보유액

수요곡선과 수요법칙

└ 에듀윌 1차 기본서 [부동산학개론] pp.95~96

수요곡선의 개념	일정기간(시점)에 성립할 수 있는 여러 가지 가격수준(임대료)과 수요량의 조합을 연결한 곡선
수요곡선	
수요법칙	① 단위당 가격(임대료)이 상승하면 수요량이 감소하고, 단위당 가격(임대료)이 하락하면 수요량이 증가하는 관계 ② 가격(임대료)과 수요량 사이의 반비례 관계
개별수요	한 사람 한 사람의 수요
시장수요	개별수요의 수평적 합계 ➡ 개별수요곡선보다 완만(탄력적)

우하향의 형태
➡ 수요법칙 반영
　└ 대체효과 + 소득효과
　└ 한계효용체감의 법칙
　└ 기회비용

수요법칙이 성립하는 이유

↳ 에듀윌 1차 기본서 [부동산학개론] pp.96~97

한계효용체감의 법칙		주어진 소득하에서 일정기간 동안에 재화나 서비스의 소비가 늘면 그 재화나 서비스의 한계효용이 점차 감소하게 된다는 법칙		
대체 효과 & 소득 효과	가격 효과	대체효과와 소득효과의 합성효과 ➡ 가격(임대료)이 하락할 때 수요량이 증가하는 것도 대체효과와 소득효과 때문		
	대체 효과	X재 가격↓ ➡ Y재 수요량↓ ➡ X재 수요량↑ 즉, 상대가격의 변화		
	소득 효과	X재 가격↓ ➡ 실질소득↑ ➡ ┌ 정상재: X재 수요량↑ ├ 열등재: X재 수요량↓ └ 중립재: X재 수요량 불변 즉, 실질소득의 변화		
기회비용		① 그것을 선택함으로써 포기한 다른 대안들 중 최선의 대안으로부터의 혜택 ② 즉, 기회비용은 포기한 기회로 나타낸 비용		

수요량의 변화와 수요의 변화 ▶   29회, 30회

└ 에듀윌 1차 기본서 [부동산학개론] pp.98

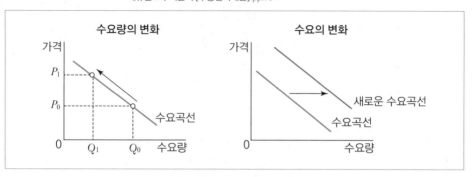

수요량의 변화	① 해당 상품가격(임대료)의 변화에 의한 수요량의 변화
	② 동일 수요곡선상에서의 점의 이동으로 표시
수요의 변화	① 해당 상품가격(임대료) 이외의 요인이 변화하여 일어나는 수요량의 변화
	② 수요곡선 자체의 이동으로 나타남
	③ 수요곡선이 우측(또는 좌측)으로 이동하는 것 ➡ 수요의 증가(또는 감소)

수요변화의 요인(수요곡선 이동요인) ▶

↳ 에듀윌 1차 기본서 [부동산학개론] pp.98~101

소득의 변화	정상재 (상급재, 우등재)	소득↑ ➡ 수요량↑ ➡ 수요곡선이 우측으로 이동 (소득과 수요량은 같은 방향)
	열등재 (하급재)	소득↑ ➡ 수요량↓ ➡ 수요곡선이 좌측으로 이동 (소득과 수요량은 반대 방향)
	중립재	소득↑ ➡ 수요량 불변 ➡ 수요곡선은 불변
다른 재화의 가격변화	대체재	X재(커피)의 가격↑ ➡ X재(커피)의 수요량↓ ➡ Y재(녹차)의 수요량↑ ➡ Y재(녹차)의 수요곡선이 우측으로 이동 (X재 가격 & Y재 수요량 같은 방향)
	보완재	X재(커피)의 가격↑ ➡ X재(커피)의 수요량↓ ➡ Y재(커피크림)의 수요 량↓ ➡ Y재(커피크림)의 수요곡선이 좌측으로 이동 (X재 가격 & Y재 수요량 반대 방향)
	독립재	X재(커피)의 가격↑ ➡ X재(커피)의 수요량↓ ➡ Y재(책)의 수요량 불변 ➡ Y재(책)의 수요곡선은 불변
소비자의 가격 예상		소비자의 가격 상승 예상 ➡ 수요량↑ ➡ 수요곡선이 우측으로 이동

➕ 가수요(假需要): 어떤 상품이 부족하게 될 것 같은 상황에서 가격이 상승할 것으로 예상될 때, 그 상품을 미리 대량으로 구입하는 일종의 예상수요를 말함

➕ 수요증가의 요인: 소득의 증가(정상재), 소득의 감소(열등재), 대체재의 가격상승, 보완재의 가격하락, 수요자의 해당 가격상승 예상, 대출금리 인하, 인구증가, 보조금 지급, 세금인하, 선호도 증가, 토지이용규제의 완화, 대부비율(LTV)이나 총부채상환비율(DTI)의 규제완화, 대체투자재인 증권이나 채권경기의 불황

부동산의 공급

↳ 에듀윌 1차 기본서 [부동산학개론] pp.105~106

공 급	일정기간(시점)에 생산자가 재화나 서비스를 판매하고자 하는 욕구
공급량	일정기간(시점)에 주어진 가격수준으로 판매하고자 하는 최대수량 ① 유량(流量, flow) 개념 ➡ 저량(貯量, stock)의 공급량도 존재 　➕ 부동산처럼 단기적으로 공급이 제한되는 재화의 수요·공급을 분석할 때는 유량의 공급 　　량뿐만 아니라 저량의 공급량도 분석해야 함 ② 판매하려고 의도된 양 ➡ 사전적(事前的) 개념 ③ 생산력 ➡ 유효공급

POINT 07

공급곡선과 공급법칙

↳ 에듀윌 1차 기본서 [부동산학개론] pp.106~107

공급곡선의 개념	일정기간(시점)에 성립할 수 있는 여러 가지 가격수준(임대료)과 공급량의 조합을 연결 한 곡선
공급곡선	
공급법칙	① 다른 모든 여건이 일정할 때, 어떤 상품의 가격(임대료)이 상승하면 공급량은 증가 하고, 가격(임대료)이 하락하면 공급량은 감소한다는 법칙 ② 가격(임대료)과 공급량 사이의 비례관계 ➡ 양(+)의 기울기

개별공급	공급자 개개인의 공급
시장수요	개별공급의 수평적 합계 ➡ 개별공급곡선보다 완만(탄력적)

POINT 08 공급량의 변화와 공급의 변화 ▶

27회, 28회

↳ 에듀윌 1차 기본서 [부동산학개론] pp.107~108

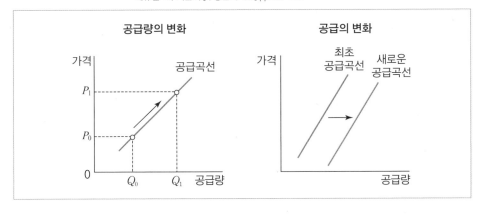

공급량의 변화	① 해당 상품가격(임대료)의 변화에 의한 공급량의 변화
	② 동일 공급곡선상에서의 점의 이동으로 표시
공급의 변화	① 해당 상품가격(임대료) 이외의 요인이 변화하여 일어나는 공급량의 변화
	② 공급곡선 자체의 이동으로 나타남
	③ 공급곡선이 우측(또는 좌측)으로 이동하는 것 ➡ 공급의 증가(또는 감소)

공급변화의 요인 ▶

↳ 에듀윌 1차 기본서 [부동산학개론] pp.108~110

생산기술의 발전		생산기술의 발전 ➡ 동일한 생산비용으로 더 많은 상품을 생산하고 공급 ➡ 공급곡선이 우측으로 이동
생산요소가격의 변화		① 생산요소가격의 하락 ➡ 생산비용↓ ➡ 공급량↑ ➡ 공급곡선이 우측으로 이동 ② 생산요소가격의 상승 ➡ 생산비용↑ ➡ 공급량↓ ➡ 공급곡선이 좌측으로 이동
다른 재화의 가격변화	대체재	X재(콩)의 가격↑ ➡ X재(콩)의 공급량↑ ➡ Y재(옥수수)의 공급량↓ ➡ Y재(옥수수)의 공급곡선이 좌측으로 이동
	보완재	X재(쇠고기)의 가격↑ ➡ X재(쇠고기)의 공급량↑ ➡ Y재(쇠가죽)의 공급량↑ ➡ Y재(쇠가죽)의 공급곡선이 우측으로 이동
공급자의 예상		공급자가 가까운 장래에 상품의 가격이 상승(또는 하락)할 것을 예상 ➡ 해당 상품의 공급 감소(또는 증가) ➡ 공급곡선이 좌측(또는 우측)으로 이동
조세부과와 보조금 지급		① 조세부과: 생산비↑ ➡ 공급량↓ ➡ 공급곡선이 좌측으로 이동 ② 보조금 지급: 생산비↓ ➡ 공급량↑ ➡ 공급곡선이 우측으로 이동

부동산의 공급곡선

↳ 에듀윌 1차 기본서 [부동산학개론] pp.112~113

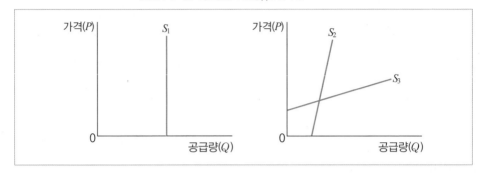

토지의 물리적 공급곡선	토지의 자연적 특성인 부증성으로 인하여, 어떤 가격에도 물리적으로 이용 가능한 토지의 양은 동일함 ➡ 토지의 물리적 공급곡선은 수직(S_1)
단기공급곡선	단기에는 생산요소의 사용이 어려우므로 가격이 상승해도 공급량이 많이 늘 수 없으므로 공급곡선의 경사도가 급함(S_2)
장기공급곡선	장기에는 단기에 비해 생산요소의 사용도 쉬워지고 용도 전환도 그만큼 가능하므로 공급곡선이 보다 완만해짐(S_3)

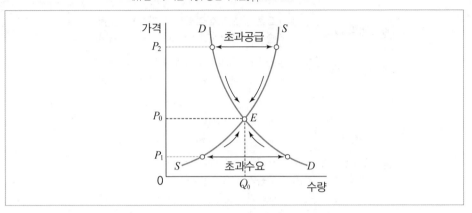

균형의 개념	① 변화를 가져오는 유인이 존재하지 않는 상태 ② 일단 도달하면 다른 상태로 바뀔 유인이 없는 상태
균형의 결정	① P_2 수준에서 ➡ 공급량(S)이 수요량(D)을 초과하여 초과공급이 존재하고, 가격(임대료)을 하락시키는 압력이 존재 ② P_1 수준에서 ➡ 수요량(D)이 공급량(S)을 초과하여 초과수요가 존재하고, 가격(임대료)을 상승시키는 압력이 존재 ③ 균형점(E) ➡ 수요량과 공급량이 일치하는 E점이 균형점이 되고, 균형가격은 P_0, 균형량은 Q_0 ④ 시장의 균형은 시장수요곡선과 시장공급곡선이 교차하는 곳에서 결정됨
균형의 특징	① 수요량 = 공급량 ② 수요가격 = 공급가격 ③ 초과수요 또는 초과공급 없음 ④ 수요자경쟁 또는 공급자경쟁 없음 ⑤ 가격상승압력 또는 가격하락압력 없음

시장균형의 변동

↳ 에듀윌 1차 기본서 [부동산학개론] pp.116~120

수요의 변화와 균형의 변동		① 수요증가: 초과수요 발생 ➡ 가격↑, 균형량↑ ② 수요감소: 초과공급 발생 ➡ 가격↓, 균형량↓
공급의 변화와 균형의 변동		① 공급증가: 초과공급 발생 ➡ 가격↓, 균형량↑ ② 공급감소: 초과수요 발생 ➡ 가격↑, 균형량↓
수요와 공급이 동시에 변동할 경우	수요와 공급의 변화 크기가 다른 경우	수요와 공급 중 큰 것만 고려할 것 ① 수요증가 > 공급증가 ➡ 가격↑, 균형량↑ ② 수요증가 < 공급감소 ➡ 가격↑, 균형량↓
	수요와 공급의 변화 크기가 같은 경우	가격과 균형량 중 하나는 불변 ① 수요증가 = 공급증가 ➡ 가격 불변, 균형량↑ ② 수요증가 = 공급감소 ➡ 가격↑, 균형량 불변
	수요와 공급의 변화 크기가 주어지지 않은 경우	가격과 균형량 중 하나는 알 수 없음 ① 수요증가, 공급증가 ➡ 가격 알 수 없음, 균형량↑ ② 수요증가, 공급감소 ➡ 가격↑, 균형량 알 수 없음

1 개념 및 탄력성의 구분 · 측정

개 념	가격이 변할 때 수요량이 얼마나 변하는가를 측정하는 척도 ➡ 정량적(quantitative) 지표 • $y = f(x)$ • y의 x탄력성$(\varepsilon) = \dfrac{y\text{의 변화율}}{x\text{의 변화율}}$ • 수요의 가격탄력성$(\varepsilon_d) = \left\lvert \dfrac{\text{수요량 변화율}}{\text{가격 변화율}} \right\rvert
탄력성의 구분	① 수요량 변화율 = 0 $\varepsilon_d = 0$ ➡ 완전비탄력적 ② 수요량 변화율 < 가격 변화율 $0 < \varepsilon_d < 1$ ➡ 비탄력적 ③ 수요량 변화율 = 가격 변화율 $\varepsilon_d = 1$ ➡ 단위탄력적 ④ 수요량 변화율 > 가격 변화율 $\varepsilon_d > 1$ ➡ 탄력적 ⑤ 가격 변화율 = 0 $\varepsilon_d = \infty$ ➡ 완전탄력적
탄력성의 측정	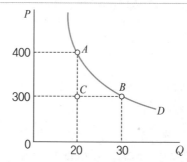 ① 최초의 가격을 기준(A점)으로 탄력성을 구하면 $$\varepsilon_d = \left\lvert \dfrac{\dfrac{10}{20}}{\dfrac{-100}{400}} \right\rvert = 2$$

탄력성의 측정	② 변동된 가격을 기준(B점)으로 탄력성을 구하면 $$\varepsilon_d = \left| \dfrac{\dfrac{-10}{30}}{\dfrac{100}{300}} \right| = 1$$ ③ 중간점(평균가격)을 기준으로 탄력성을 구하면 $$\varepsilon_d = \left| \dfrac{\dfrac{\varDelta Q}{Q_1 + Q_2}}{\dfrac{\varDelta P}{P_1 + P_2}} \right| = \left| \dfrac{\dfrac{10}{20 + 30}}{\dfrac{100}{400 + 300}} \right| = \dfrac{7}{5} = 1.4$$

2 수요의 가격탄력성과 부동산의 임대료 총수입

개 념	부동산의 임대료 총수입(소비자 총지출액, 기업의 총수입) = 가격(임대료, P) × 수요량(Q)
내 용	① 가격이 상승한다고 하여 총수입이 증가하는 것은 아님 ② 공급이 증가한다고 하여 총수입이 증가하는 것은 아님 ③ 수요가 증가한다면 총수입은 반드시 증가

탄력성	가 격	수요량	총수입
비탄력적($0 < \varepsilon_d < 1$)	많이↑ ➡	적게↓ ➡	증가
탄력적($\varepsilon_d > 1$)	적게↑ ➡	많이↓ ➡	감소
단위탄력적($\varepsilon_d = 1$)	가격과 수요량 변화율 동일		➡ 불변
완전비탄력적($\varepsilon_d = 0$)	가격만↑ ➡	불변 ➡	증가
완전탄력적($\varepsilon_d = \infty$)	불변 ➡	수량만↓ ➡	0

3 수요의 가격탄력성 결정요인

대체재의 수	대체재가 많을수록 수요의 탄력성이 큼
기간의 장단	① 단기 ➡ 비탄력적 ② 장기 ➡ 탄력적
재화의 분류 범위	① 부동산을 지역별·용도별로 세분할 경우 탄력성은 달라질 수 있음 ② 부동산을 부분시장으로 세분하면 탄력성은 커짐 ③ 주거용 부동산이 다른 부동산에 비해 보다 더 탄력적인 것으로 알려져 있음
재화의 성격	상품의 일상생활에 있어서 중요성과도 관련 ① 필수재(투자재 부동산) ➡ 보다 비탄력적 ② 사치재(투기재 부동산) ➡ 보다 탄력적
재화의 용도	용도가 다양할수록, 용도전환이 쉬울수록 수요의 탄력성이 큼
소비에서 차지하는 비중	비중이 클수록 수요의 탄력성이 큼 ➡ 가격이 높을수록 탄력적, 가격이 낮을 수록 비탄력적

POINT 14   **수요의 소득탄력성** ▶   29회

     ↳ 에듀윌 1차 기본서 [부동산학개론] pp.128~129

1 개 념

소득의 변화율에 대한 수요의 변화율의 정도를 측정하는 척도로서, 소득이 변할 때 수요량은 얼마나 변화하는가를 측정하는 척도

$$수요의 \ 소득탄력성(\varepsilon_{d,\ I}) = \frac{수요량 \ 변화율}{소득 \ 변화율}$$

2 수요의 소득탄력성과 재화

$\varepsilon_{d,\,I} > 0$(양)	소득의 증가에 따라 수요가 증가하는 재화 ➡ 정상재
$\varepsilon_{d,\,I} < 0$(음)	소득의 증가에 따라 수요가 감소하는 재화 ➡ 열등재
$\varepsilon_{d,\,I} = 0$	소득의 변화가 수요에 영향을 주지 않는 재화 ➡ 중립재

POINT 15   **수요의 교차탄력성** ▶   27회, 28회

↳ 에듀윌 1차 기본서 [부동산학개론] pp.129~131

1 개 념

한 상품의 수요가 다른 연관상품의 가격변화에 반응하는 정도를 측정하는 척도

$$\text{수요의 교차탄력성}(\varepsilon_{d,\,YX}) = \frac{Y\text{재의 수요량 변화율}}{X\text{재의 가격 변화율}}$$

2 수요의 교차탄력성과 재화

$\varepsilon_{d,\,YX} > 0$(양)	X재 가격(P_X)과 Y재 수요량(Q_Y)은 같은 방향으로 변함 ➡ 두 재화는 대체재 관계
$\varepsilon_{d,\,YX} < 0$(음)	X재 가격(P_X)과 Y재 수요량(Q_Y)은 반대 방향으로 변함 ➡ 두 재화는 보완재 관계
$\varepsilon_{d,\,YX} = 0$	X재 가격(P_X) 변화가 Y재 수요량(Q_Y)에 영향을 주지 않음 ➡ 두 재화는 독립재 관계

공급의 가격탄력성 ▶   28회, 29회, 30회

↳ 에듀윌 1차 기본서 [부동산학개론] pp.131~132

1 개 념

한 상품의 가격(임대료)이 변하면 그 상품의 공급량도 변하는데, 그 변화의 정도를 측정하는 척도

$$공급의\ 가격탄력성(\varepsilon_s) = \frac{공급량\ 변화율}{가격\ 변화율}$$

2 결정요인

생산비의 증감 여부	생산량을 늘릴 때 생산요소가격이 상승할수록 공급의 임대료탄력성은 더 비탄력적
생산기술의 발전 정도	생산기술이 빠르게 발전하는 상품일수록 보다 더 탄력적
기간의 장단 (측정기간)	동일한 상품을 생산함에 있어 생산기간이 짧게 주어질수록 공급은 비탄력적이 되고, 생산기간이 길게 주어질수록 탄력적
용도전환의 용이성 정도	용도전환이 용이할수록 공급이 쉬워지므로 보다 탄력적
생산에 소요되는 기간	생산(공급)에 소요되는 기간이 길수록 공급이 어려워지므로 보다 비탄력적
건축 인허가 등 관련 법규	용도변경을 제한하는 법규가 강화될수록 공급곡선은 이전에 비해 비탄력적

↳ 에듀윌 1차 기본서 [부동산학개론] pp.136~139

1 개 념

경 기	생산활동과 소비활동을 말함
경기변동	생산이나 소비활동이 활발하거나 침체하면서 반복되는 경제현상 ➡ 경제활동이 주기적으로 반복되는 현상을 보이며 변동하므로 경기순환이라고도 함

2 경기변동의 국면

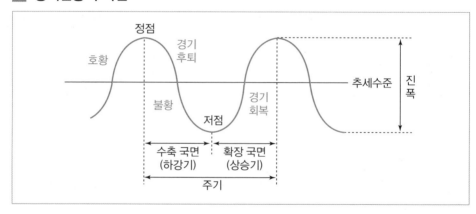

➡ 경기변동은 호황, 경기후퇴, 불황, 경기회복의 4국면으로 구분함

부동산의 경기변동

↳ 에듀윌 1차 기본서 [부동산학개론] pp.139~140

1 개 념

① 주거용 부동산 건축경기 ─ 협의의 부동산경기 ─┐ 광의의
② 상업용·공업용 부동산 건축경기   ├─ 부동산경기 ─┐ 최광의의
③ 토지경기   └─ 부동산경기

2 특징(순환적 변동)

① 일반경기의 주기(8~10년)에 비해 약 2배 깊(17~18년)
② 일반경기의 변동에 비해 진폭이 큼
③ 타성기간(惰性期間)이 긺
④ 주기의 순환국면이 명백하지 않고 일정하지 않으며, 불규칙적
⑤ 일반적으로 지역적·국지적으로 나타나서 전국적·광역적으로 확대되는 경향
⑥ 일반경기와 병행·역행·독립·선행할 수도 있으나, 일반적으로 주식시장의 경기는 일반경기에
  비해 전순환적이고 부동산경기는 일반경기에 비해 후순환적
⑦ 부문시장별 변동의 시차가 존재
   ㉠ 상업용·공업용 부동산경기는 일반경기변동과 일치(동시순환)
   ㉡ 주거용 부동산경기와 일반경제의 경기는 서로 역순환
⑧ 비교적 경기회복이 느리고 경기후퇴는 빠르게 진행

↳ 에듀윌 1차 기본서 [부동산학개론] pp.140~142

건축의 양 ➡ **공급지표**	① 건축허가량: 주거용과 비주거용으로 나눈 후, 신축 및 증축의 허가면적으로 판단 ② 건축착공량: 빈번히 사용 ③ 건축완공량: 실무상 파악이 어려움	중심 지표
부동산의 거래량 ➡ **수요지표**	① 주로 주택의 거래량 ② 등기신청건수나 부동산취득세 납부실적 등으로 거래량 측정	
부동산의 가격변동 ➡ **보조지표**	부동산의 가격은 명목지표이므로 부동산경기의 측정지표 중 보조지표로 사용	보조 지표
기타 판단지표	공가율과 임대료 수준, 주택금융의 상태, 그 밖의 경기측정지표로 미분양 재고량, 택지의 분양실적 등을 통해 측정하기도 함	

↳ 에듀윌 1차 기본서 [부동산학개론] pp.142~146

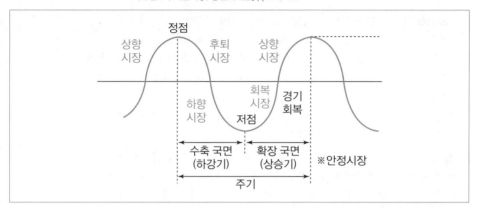

구 분	후퇴시장	하향시장	회복시장	상향시장
시 장	매수자 주도시장		매도자 주도시장	
마케팅	매수인 중시현상		매도인 중시현상	
사례가격	기준가격 or 상한선	상한선	기준가격 or 하한선	하한선
금 리	상승	최고	하락	최저

➕ 안정시장

1. 부동산시장에서만 고려의 대상이 되는 시장
2. 부동산의 가격이 안정되어 있거나 가벼운 상승을 지속하는 유형의 시장 ➡ 거래가 꾸준하여 경기의 진폭이 크지 않은 시장
3. 위치가 좋고 규모가 작은 주택이나 도심지 점포가 해당 ➡ 불황에 강한 유형의 시장
4. 안정시장에서의 사례가액은 새로운 거래에 있어서 신뢰할 수 있는 기준이 됨
5. 경기순환에 의해 분류된 것은 아니나 경기와 전혀 무관하다고 할 수는 없음

다른 형태의 경기변동

↳ 에듀윌 1차 기본서 [부동산학개론] pp.146

장기적 (추세적) 변동	① 50년 또는 그 이상의 장기적 기간으로 측정 ➡ 일반경제가 나아가는 전반적인 방향을 의미함 ② 부동산 부문에서는 어떤 지역의 신개발 또는 재개발 등으로 나타남
계절적 변동	① 1년에 한 번씩(1년을 단위로) 계절적 특성에 따라 나타나는 경기변동현상 ② 계절이 가지는 속성과 그에 따른 사회적 관습 때문에 나타남 ⑩ 대학교 주변의 원룸이나 오피스텔이 방학을 주기로 공실률이 높아지는 것, 봄·가을 이사철 등의 경기변동
불규칙적 (무작위적) 변동	① 예기치 못한 사태로 인해 발생하는 비주기적 경기변동현상 ② 정부의 정책에 의해 야기되는 경기변동현상 ⑩ 정부정책, 천재지변·혁명·전쟁 등에 의한 경기변동

POINT 22 **부동산경기에 있어 거미집모형** 27회, 29회, 31회

↳ 에듀윌 1차 기본서 [부동산학개론] pp.148~152

1 의의 및 기본가정

의 의	부동산(주택)의 가격(임대료)변동에 대한 공급의 시차를 고려하여 그 일시적 균형의 변동과정을 동태적으로 분석한 것 ➡ 주거용 부동산보다는 상업용이나 공업용 부동산에 더 잘 적용됨 ① 에치켈(M. J. Eziekel), 레온티예프(W. Leontief) 등이 연구 ② 경제학에서 농축산물의 가격변동을 설명하는 이론이었음 ③ 폐쇄경제 ⟷ 개방경제 ④ 동태(동학)모형 ⟷ 정태(정학)모형 ⑤ 부동산학에서는 상업용·공업용 부동산의 가격변동을 설명함

기본가정	① 현실적으로 가격이 변동하면 수요는 즉각적으로 영향을 받지만 공급량은 일정한 생산기간이 경과한 후에야 변동이 가능함 　⑤ 수요 ➡ 시차가 존재하지 않음 　ⓒ 공급 ➡ 시차가 존재함(∵ 생산기간이 걸리기 때문에) ② 공급자는 전기의 시장에서 성립한 가격을 기준으로 하여 금기의 생산량을 결정(➡ 예상의 비합리성)하고, 금기에 생산된 수량은 모두 금기의 시장에서 판매(➡ 재화의 특수성)되어야 함 ③ 미래의 공급결정은 현재의 가격에만 의존한다는 것을 전제로 함 　➡ 예상의 비합리성

2 거미집과정

수렴형	수요가 더 탄력적 ➡ 수렴형(수·탄 → 수) ① 수요곡선 기울기의 절댓값 < 공급곡선 기울기의 절댓값 ② 수요의 가격탄력성 > 공급의 가격탄력성
발산형	공급이 더 탄력적 ➡ 발산형(공·탄 → 발) ① 수요곡선 기울기의 절댓값 > 공급곡선 기울기의 절댓값 ② 수요의 가격탄력성 < 공급의 가격탄력성
순환형	① 수요곡선 기울기의 절댓값 = 공급곡선 기울기의 절댓값 ② 수요의 가격탄력성 = 공급의 가격탄력성

부동산시장이론의 기초 및 시장형태

  └ 에듀윌 1차 기본서 [부동산학개론] pp.156~160

1 시장의 개념과 종류

개 념	어떤 상품에 대한 수요와 공급이 계속적으로 나타나 상품의 가격이 정해지고, 상품의 매매가 규칙적으로 일어나는 곳
종 류	① 완전경쟁시장 ② 불완전경쟁시장: 독점시장, 과점시장, 독점적 경쟁시장

2 시장의 형태

구 분	완전경쟁시장	불완전경쟁시장
참여자 수	① 판매자와 구매자가 다수 ② 판매자와 구매자는 가격순응자	① 판매자와 구매자가 소수 ② 판매자와 구매자는 가격결정자
동질성 여부	동종동질	동종이질
진입장벽	진입과 탈퇴가 자유	진입과 탈퇴가 제한
정보공개성	완전한 정보	불완전한 정보

부동산시장의 개념 및 유형

  └ 에듀윌 1차 기본서 [부동산학개론] pp.160~162

1 부동산시장의 개념

개 념	매수자와 매도자에 의해 부동산의 교환이 자발적으로 이루어지는 곳 ➡ 부동산권리의 교환, 가액결정, 공간배분, 공간이용패턴 결정 및 수요와 공급의 조절을 돕기 위해 의도된 상업활동을 하는 곳

구 분	추상적 시장	자본시장의 일종으로서의 부동산시장
	구체적 시장	시장지역(market area)으로서의 부동산시장 ➡ 일정한 지리적 공간을 수반하는 공간시장

2 부동산시장의 유형 – 시장범위에 따라

개별시장	개별토지마다 형성되는 시장
부분시장	① 지역별 부분시장 ⬅ 부동성 ② 용도별 부분시장 ⬅ 용도의 다양성
전체시장	개별시장의 총합

POINT 25 **부동산시장의 특성 및 기능** 29회

↳ 에듀윌 1차 기본서 [부동산학개론] pp.162~167

1 부동산시장의 특성

시장의 국지성	① 위치에 따라 여러 개의 부분시장으로 나뉘고, 부분시장별로 불균형을 초래함 ② 부동산활동을 정보활동화하여 중개활동이 필요하게 함	부동성
거래의 비공개성	① 정보수집을 어렵게 하며, 많은 정보탐색비용이 들게 함 ② 부동산가격이 불합리하게 형성되는 주요 원인으로 작용	
비표준화성	① 대량생산이 곤란 ② 일물일가의 법칙이 적용되지 않음	개별성
비조직성	① 시장의 조직화가 곤란 ② 전국 단위의 유통망 조직이 곤란	

수급조절의 곤란성	① 토지의 부증성으로 인해 공급이 비탄력적 ② 단기적으로 가격의 왜곡이 발생할 가능성이 높음	부증성
매매기간의 장기성	① 단기적 거래가 곤란한 경우가 많아 유동성, 환금성 면에서 곤란함 ② 단기적으로 가격의 왜곡이 발생할 가능성이 높음	
법적 제한 과다	① 법적 제한이 많아 시장이 불완전해지는 경향이 있음 ② 부동산가격을 왜곡시켜 시장의 조절기능이 저하됨	
진입장벽의 존재	① 일반적으로 부동산은 일반재화에 비해 거래비용이 많이 든다고 할 수 있음 ② 부동산 거래비용의 증가는 부동산 수요자와 공급자의 시장 진출입에 제약을 줄 수 있어 불완전경쟁시장의 요인이 될 수 있음	
자금의 유용성	부동산은 고가이므로 자금의 조달과 깊은 관련이 있음 ➡ 자금조달 가능성이 시장참 여에 영향을 미침	

2 부동산시장의 기능

자원배분 기능	각종 부동산공간에 대한 경쟁은 기존 건물의 유지와 수선, 건물개축 등을 통하여 자 원배분의 역할을 수행
교환기능	부동산과 현금, 부동산과 부동산, 소유와 임대 등의 교환이 이루어짐
가격의 형성기능	매도인의 제안가격과 매수인의 제안가격에 의해 형성된 부동산의 가격은 창조·파괴 의 과정을 거침
정보제공 기능	부동산 활동주체에게 정보를 제공
양과 질의 조정기능	토지의 형질변경, 건물의 용도변경 등 부동산의 양과 질을 조정하여 부동산상품의 유 용성이 최대가 되도록 함

POINT 26

부동산시장의 장·단기 개념

↳ 에듀윌 1차 기본서 [부동산학개론] pp.167~168

1 개별기업에서의 장·단기 구분

기 준	생산시설의 변경 가능 여부
단 기	기존 생산시설의 규모를 변경시킬 수 없을 만큼 짧은 기간
장 기	기존 생산시설 외에 새로운 생산시설을 추가 설치할 수 있을 만큼 충분한 기간

2 산업 전체에서의 장·단기 구분

기 준	진입과 탈퇴 가능 여부
단 기	기존 기업이 타 산업으로 퇴거하거나 새로운 기업이 그 산업에 진입해 오지 못할 정도로 짧은 기간
장 기	모든 산업으로의 이동이 자유롭게 이루어질 수 있을 정도로 충분히 긴 기간

POINT 27

주택시장분석

↳ 에듀윌 1차 기본서 [부동산학개론] pp.168~169

1 주택시장분석을 위한 기초개념   ─▷ 주택소유자가 주택으로부터 얻는 효용(效用)

구 분	주택서비스	물리적 주택
분석대상	주택서비스를 분석대상으로 함	분석대상이 아님
측정단위	추상적인 단위	채
동질성 여부	동질적	이질적

2 주택유량과 주택저량

의 의	단기적으로 생산공급은 증가가 어렵기 때문에 저량의 개념으로 공급량을 분석하고, 장기적으로 저량과 유량을 함께 사용하여 특정지역의 주택시장에 대한 공급량을 분석
유량의 수요량	'일정기간'에 사람들이 보유하고자 하는 주택의 양
유량의 공급량	'일정기간'에 시장에 공급되는 주택의 양
저량의 수요량	'일정시점'에 사람들이 보유하고자 하는 주택의 양
저량의 공급량	'일정시점'에 시장에 존재하는 주택의 양

3 주택수요와 주택소요

구 분	주택수요(housing demand)	주택소요(housing needs)
의 의	구매력이 있는 수요자가 시장경제원리에 의거하여 주택을 사려는 것	구매력이 없는 저소득층을 위해 복지차원에서 정부가 시장경제원리에 개입하여 주택을 우선공급하는 것
적용개념	시장경제상의 개념	사회·복지정책상의 개념
적용원리	① 시장경제원리에 방임 ② 경제적 기능 강조	① 정부가 시장경제원리에 개입 ② 정치적 기능 강조
적용대상	구매력이 있는 중산층 이상의 계층	구매력이 없는 무주택 저소득계층
예	아파트 분양신청	임대주택

주택시장의 여과과정

↳ 에듀윌 1차 기본서 [부동산학개론] pp.169~174

1 여과과정(순환과정)의 개념

의 의		① 주택이 소득의 계층에 따라 상하로 이동되는 현상 ② 주택의 여과과정은 시간이 경과하면서 주택의 질과 주택에 거주하는 가구의 소득이 변화함에 따라 발생하는 현상
종 류	하향 여과	고소득(상위)계층이 사용하던 주택이 저소득(하위)계층의 사용으로 전환되는 현상
	상향 여과	저소득(하위)계층이 사용하던 주택 등이 재개발 등으로 인해 고소득(상위)계층의 사용으로 전환되는 현상
특 징		① 주택의 여과현상은 주로 하향여과를 통해 연쇄적으로 공급이 됨 ② 주택의 여과과정이 원활하게 작동하는 주택시장에서 주택여과의 효과가 긍정적으로 작동하면 주거의 질을 개선하는 효과가 있음

2 고가주택시장과 저가주택시장의 장·단기 효과

고가 주택 시장	단 기	하향여과 발생 ➡ 고가주택의 부족 ➡ 고가주택의 임대료 상승 ➡ 초과이윤 발생
	장 기	신규공급자 시장진입 ➡ 공급증가 ➡ 임대료 하락 ➡ 초과이윤 소멸
저가 주택 시장	단 기	저가주택의 수요증가 ➡ 저가주택의 임대료 상승 ➡ 초과이윤 발생
	장 기	저가주택 신축금지 ➡ 하향여과 발생 ➡ 임대료 하락 ➡ 초과이윤 소멸 ➕ 저가주택의 가격은 불변, 주택량은 증가 (∵ 하향여과로 인해)

3 여과과정과 주거분리

의 의	저소득층의 주거지역과 고소득층의 주거지역이 서로 나뉘는 현상
특 징	① 주거분리는 도시 전체뿐만 아니라 지리적으로 인접한 근린지역에서도 발생할 수 있음 ② 고소득층 주거지역의 경계와 인접한 저소득층 주택은 대부분 할증되어 거래되며, 저소득층 주거지역의 경계와 인접한 고소득층 주택은 대부분 할인되어 거래되는 경향이 있음
고소득층 주거지역	① 개조·수선 후 가치상승분 > 개조·수선비용 ➡ 주거분리[⬅ 정(+)의 외부효과] ② 개조·수선 후 가치상승분 < 개조·수선비용 ➡ 하향여과(⬅ 침입)
저소득층 주거지역	① 개조·수선 후 가치상승분 > 개조·수선비용 ➡ 상향여과(⬅ 재개발) ② 개조·수선 후 가치상승분 < 개조·수선비용 ➡ 주거분리[⬅ 부(−)의 외부효과]
불량주택	① 불량주택은 시장실패가 아니며, 오히려 시장에서 하향여과과정을 통한 효율적 자원배분의 결과를 초래함 ② 불량주택의 철거와 같은 정부의 시장개입은 근본적인 대책이 될 수 없고, 불량주택에 거주하는 저소득자의 실질소득 향상이 효과적인 대책이 됨

효율적 시장이론   27회, 28회, 29회, 31회

↳ 에듀윌 1차 기본서 [부동산학개론] pp.174~178

1 효율적 시장의 개념

부동산시장이 새로운 정보를 얼마나 지체 없이 가치에 반영하는가 하는 것을 시장의 효율성이라 하고, 정보가 지체 없이 가치에 반영되는 시장을 효율적 시장이라 함

2 효율적 시장의 구분

구 분	반영되는 정보			분석방법	정상 이윤	초과이윤			정보 비용
	과 거	현 재	미 래			과 거	현 재	미 래	
약성 효율적 시장	○	×	×	기술적 분석	○	×	○	○	○
준강성 효율적 시장	○	○	×	기본적 분석	○	×	×	○	○
강성 효율적 시장	○	○	○	분석 불필요	○	×	×	×	×

할당(적)효율적 시장   29회

↳ 에듀윌 1차 기본서 [부동산학개론] pp.179~181

의 의	① 자원의 할당이 효율적으로 이루어지는 시장 ② 자원이 효율적으로 할당되었다는 말은 부동산투자와 다른 투자대상에 따르는 위험을 감안하였을 때, 부동산투자의 수익률과 다른 투자대상의 수익률이 같도록 할당되었다는 의미임

| 부동산시장과
할당(적)
효율성 | ① 완전경쟁시장 ➡ 항상 할당효율적 시장
  할당효율적 시장 ➡ 완전경쟁시장만을 의미하지 않음
   └ 불완전경쟁시장도 할당효율적 시장 가능
   └ 독점시장도 할당효율적 시장 가능
② 완전경쟁시장 ➡ 정보비용이 존재하지 않음
  정보비용 존재 ➡ 완전경쟁시장이 아니라 불완전경쟁시장
③ 할당효율적 시장과 양립할 수 없는 표현
  ㉠ 투기발생
  ㉡ 초과이윤 존재
  ㉢ 정보를 값싸게 획득
  ㉣ 시장을 패배시킴 |

POINT 31 지대이론 29회

  └ 에듀윌 1차 기본서 [부동산학개론] pp.182-183

1 지대와 지가

지 대	일정기간 동안의 토지서비스의 가격으로, 토지소유자의 소득으로 귀속되는 임대료 ➡ 유량(流量, flow)의 개념
지 가	일정시점에서 자산으로서의 토지 자체의 매매가격 ➡ 저량(貯量, stock)의 개념
지대와 지가의 관계	$$지가 = \frac{지대}{이자율}$$ ① 지가는 장래 매 기간당 일정한 토지로부터 발생하는 지대를 이자율로 할인하여 합계한 것으로, 토지의 현재가치임 ② 지가와 지대는 정비례하고, 지가와 이자율은 반비례함

2 지대에 관한 논쟁

구 분	고전학파	신고전학파
지대의 기능에 대한 입장	① 생산요소(노동·자본·토지)에서 토지를 자본과 구분함 ② 지대를 다른 생산요소에 대한 대가를 지불하고 남은 잔여인 잉여로 파악	① 생산요소(노동·자본·토지)에서 토지를 자본과 구분하지 않음 ② 지대를 잉여가 아니라 생산요소에 대한 대가인 요소비용으로 파악
생산물 가격과의 관계	생산물가격이 지대를 결정	지대가 생산물가격에 영향을 미침
지대를 보는 관점	지대는 잉여로서 불로소득	지대는 생산에 기여한 정도에 분배된 몫이며, 요소비용

3 전용수입과 경제지대 – 파레토(V. Pareto)지대

전용수입	어떤 생산요소가 다른 용도로 전용되지 않도록 하기 위해서 현재의 용도에서 지급되어야 하는 지급액
경제지대	생산요소가 실제로 얻고 있는 수입(총수입)과 전용수입의 차액 경제지대 = 생산요소의 총수입 – 전용수입(기회비용) = 생산요소 공급자의 잉여
공급의 탄력성과의 관계	전용수입과 경제지대는 공급의 탄력성의 크기에 따라 다름 ① 공급의 탄력성이 커지면 전용수입은 증가하고 경제지대는 감소 ② 공급의 탄력성이 작아지면 전용수입은 감소하고 경제지대는 증가 ③ 공급이 완전탄력적이면 총수입은 모두 전용수입으로 구성 ④ 공급이 완전비탄력적이면 총수입은 모두 경제지대로 구성

지대결정이론

↳ 에듀윌 1차 기본서 [부동산학개론] pp.183~192

1 차액지대설 – 리카도(D. Ricardo)

차액지대의 발생 이유	① 비옥한 토지의 공급이 제한되어 있음 ② 토지에 수확체감현상이 있기 때문에 곡물수요의 증가가 재배면적을 확대하게 됨 ➡ 수확체감의 법칙 ③ 토지의 비옥도와 위치에 따라 생산성의 차이가 발생함
내 용	① 한계지(marginal land): 생산성이 가장 낮아 생산비와 곡물가격이 일치하는 토지 로, 지대가 발생하지 않음 ② 지대는 해당 토지의 생산성과 한계지의 생산성의 차이와 동일함 ③ 지대는 일종의 불로소득 ④ 지대가 곡물가격을 결정하는 것이 아니라, 곡물가격이 지대를 결정함
평 가	① 토지의 위치문제를 경시함 ② 비옥도 자체가 아닌 비옥도의 차이에만 중점을 둠 ③ 최열등지(한계지)에서 지대가 발생하는 것을 설명하지 못함

2 절대지대설 – 마르크스(K. Marx)

의 의	지대는 토지소유자가 토지를 소유하고 있다는 독점적 지위 때문에 받는 수입이므로 최열등지(한계지)에서도 지대가 발생한다는 이론
내 용	① 토지의 사유화로 지대가 발생함 ② 토지의 비옥도나 생산력에 관계없이 지대가 발생함 ③ 한계지에서도 토지소유자의 요구로 지대가 발생함 ④ 지대의 상승이 곡물가격을 상승시킴
평 가	① 토지의 위치문제를 경시함 ② 최열등지(한계지)에서 지대가 발생하는 것을 설명함

3 준지대설 - 마샬(A. Marshall)

의 의	일시적으로 토지와 유사한 성격을 가지는 생산요소에 귀속되는 소득을 준지대로 설명하고, 단기적으로 공급량이 일정한 생산요소에 지급되는 소득으로 봄
내 용	① 생산을 위하여 사람이 만든 기계와 기타 자본설비에서 발생하는 소득으로 일시적 독점이윤이 지대와 유사하다는 점에서 준지대(quasi-rent)라고 함 ② 토지에 대한 개량공사로 인해 추가적으로 발생하는 일시적인 소득은 준지대에 속함 ③ 고정생산요소의 공급량은 단기적으로 변동하지 않으므로 다른 조건이 동일하다면 준지대는 고정생산요소에 대한 수요에 의해 결정됨 ④ 준지대는 토지 이외의 고정생산요소에 귀속되는 소득으로서 단기간 일시적으로 발생함
정 리	① 단기에 고정되어 있는 생산요소로 인해 얻게 되는 지대 ② 단기에 자본재와 같은 고정투입요소로 인해 얻게 되는 지대

4 위치지대설 – 튀넨(V. Thünen)

의 의	① 리카도(D. Ricardo)의 차액지대설 + 위치개념 ➡ 입지지대이론으로 발전 ② 튀넨은 도시 중심지와 접근성으로 거리에 따른 수송비 개념을 도입했는데, 도시 중심지에 접근성이 높으면 수송비가 적게 들기 때문에 지대가 높게 나타남
내 용	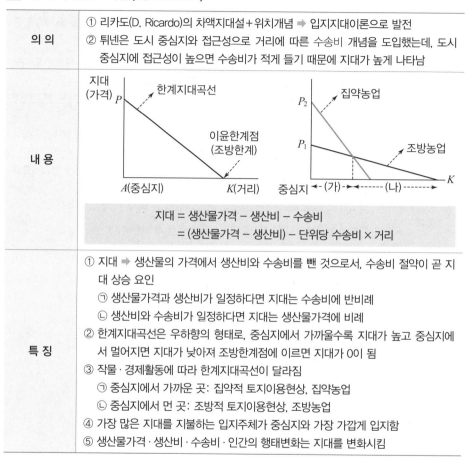 지대 = 생산물가격 − 생산비 − 수송비 　　= (생산물가격 − 생산비) − 단위당 수송비 × 거리
특 징	① 지대 ➡ 생산물의 가격에서 생산비와 수송비를 뺀 것으로서, 수송비 절약이 곧 지대 상승 요인 　㉠ 생산물가격과 생산비가 일정하다면 지대는 수송비에 반비례 　㉡ 생산비와 수송비가 일정하다면 지대는 생산물가격에 비례 ② 한계지대곡선은 우하향의 형태로, 중심지에서 가까울수록 지대가 높고 중심지에서 멀어지면 지대가 낮아져 조방한계점에 이르면 지대가 0이 됨 ③ 작물 · 경제활동에 따라 한계지대곡선이 달라짐 　㉠ 중심지에서 가까운 곳: 집약적 토지이용현상, 집약농업 　㉡ 중심지에서 먼 곳: 조방적 토지이용현상, 조방농업 ④ 가장 많은 지대를 지불하는 입지주체가 중심지와 가장 가깝게 입지함 ⑤ 생산물가격 · 생산비 · 수송비 · 인간의 행태변화는 지대를 변화시킴

5 입찰지대설 – 알론소(W. Alonso)

의 의	① 도심으로부터 일정한 거리에 위치한 토지들은 여러 토지이용활동들 간의 경쟁을 통해서 특정 용도로 배분됨 ➡ 입지경쟁 ② 입지경쟁: 해당 토지에 대한 여러 활동들의 지대입찰과정 ③ 가장 높은 지대를 지불하려는 활동에 해당 토지의 이용이 할당됨
입찰지대	① 단위면적의 토지에 대해 토지이용자가 지불하고자 하는 최대금액 ② 지대는 기업주의 정상이윤과 투입 생산비를 지불하고 남은 잉여에 해당 ③ 초과이윤이 '0'이 되는 수준의 지대 ④ 입지경쟁의 결과 해당 토지는 최대의 순현가를 올릴 수 있어서 최고의 지불능력을 가지고 있는 토지이용자에게 할당됨 ⑤ 토지이용자에게는 최대지불용의액
입찰지대 곡선	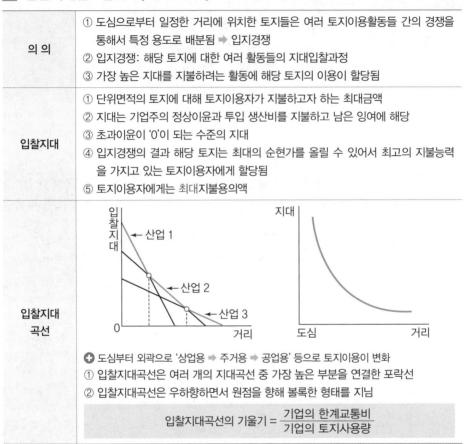 ➕ 도심부터 외곽으로 '상업용 ➡ 주거용 ➡ 공업용' 등으로 토지이용이 변화 ① 입찰지대곡선은 여러 개의 지대곡선 중 가장 높은 부분을 연결한 포락선 ② 입찰지대곡선은 우하향하면서 원점을 향해 볼록한 형태를 지님 $$입찰지대곡선의 기울기 = \frac{기업의 \ 한계교통비}{기업의 \ 토지사용량}$$

생산요소의 대체성과 도시지대

↳ 에듀윌 1차 기본서 [부동산학개론] pp.192~193

의 의	① 도시지대함수는 생산요소의 대체성이라는 개념으로도 설명 가능 ② 생산요소의 대체성(노동이 일정하다고 가정) $$생산요소의\ 대체성 = \frac{자본}{토지}$$ ↳. 토지에 대한 자본의 결합비율 ↳. 토지에 대한 자본의 대체관계 ↳. 토지에 대한 자본의 대체성
특 징	① 토지에 대한 자본의 결합비율은 도심에서 가까울수록 높고, 외곽으로 갈수록 낮아짐 ② 토지에 대한 자본의 비율이 높다는 것은 그만큼 토지에 대한 자본의 대체성이 크다는 것을 의미함 ③ 도심지역에 입지하는 활동들은 대체로 토지에 대한 자본의 대체성이 큰 것들임 ④ 도심지역에 건물들이 고층화되는 것은 토지에 대한 자본의 대체성이 크다는 것을 의미함

DAY 02 | 기출지문 CHECK

01 부동산수요량은 특정 가격수준에서 부동산을 구매하고자 하는 의사와 능력이 있는 수량이다. •21회
(O | X)

02 저량은 일정한 기간을 정해야 측정이 가능한 개념이고, 유량은 일정시점에서만 측정이 가능한 개념이다. •22회
(O | X)

03 부동산수요는 구입에 필요한 비용을 지불할 수 있는 경제적 능력이 뒷받침된 유효수요의 개념이다.
•21회
(O | X)

04 주택임대료가 상승하면 다른 재화의 가격이 상대적으로 하락하여 임대수요량이 감소하는 것은 대체효과에 대한 설명이다. •22회
(O | X)

05 가격 이외의 다른 요인이 수요량을 변화시키면 수요곡선이 좌측 또는 우측으로 이동한다. •30회
(O | X)

06 수요곡선의 이동으로 인해 수요량이 변하는 경우에 이를 부동산수요량의 변화라고 한다. •21회
(O | X)

07 시장금리 하락, 수요자의 실질소득 증가, 부동산 가격상승 기대는 부동산시장에서 수요를 증가시키는 요인에 해당한다. •31회
(O | X)

정답 **01** O **02** X (저량 ↔ 유량) **03** O **04** O **05** O **06** X (부동산수요량의 변화 → 부동산수요의 변화) **07** O

08 아파트 가격하락이 예상되면 수요량의 변화로 동일한 수요곡선상에서 하향으로 이동하게 된다.
• 29회 (O ¦ X)

09 대체재인 단독주택의 가격이 상승하면 아파트의 수요곡선은 우상향으로 이동하게 된다. • 29회
(O ¦ X)

10 아파트 담보대출금리가 하락하면 수요량의 변화로 동일한 수요곡선상에서 상향으로 이동하게 된다.
• 29회 (O ¦ X)

11 공급량은 주어진 가격수준에서 실제로 매도한 수량이다. • 30회 (O ¦ X)

12 부동산공급 및 공급곡선에서 공급량은 주어진 가격수준에서 공급자가 공급하고자 하는 최대수량이다.
• 27회 (O ¦ X)

13 부동산의 신규공급은 일정한 시점에서 측정되는 유량 개념이 아니라 일정한 기간 동안 측정되는 저량
개념이다. • 23회 (O ¦ X)

14 부동산의 공급곡선은 토지의 용도의 다양성으로 인해 우하향하는 공급곡선을 가진다. • 24회 (O ¦ X)

15 다른 조건은 일정하다고 가정할 때, 부동산가격이 상승하면 공급량은 증가하고, 가격이 하락하면 공급
량은 감소한다. • 20회 (O ¦ X)

16 주택건설업체 수의 증가는 공급 변화요인에 해당하고, 주택가격의 상승은 공급량의 변화요인에 해당
한다. • 28회 (O ¦ X)

정답
08 X (수요량의 변화로 동일한 수요곡선상에서 하향으로 → 수요의 변화로 수요곡선 자체가 좌측으로) **09** O
10 X (수요량의 변화로 동일한 수요곡선상에서 상향으로 → 수요의 변화로 수요곡선 자체가 우측으로) **11** X (실제로
매도한 수량 → 판매하고자 하는 최대수량) **12** O **13** X (유량 ↔ 저량) **14** X (우하향 → 우상향) **15** O **16** O

17 부동산공급 및 공급곡선에서 해당 부동산가격 변화에 의한 공급량의 변화는 다른 조건이 불변일 때 동일한 공급곡선상에서 점의 이동으로 나타난다. •27회 (O | X)

18 새로운 건설기술의 개발에 따른 원가절감은 부동산시장에서 주택의 공급곡선을 우측으로 이동시키는 요인이다. •24회 (O | X)

19 노동자임금이나 시멘트가격과 같은 생산요소가격의 하락은 부동산공급을 감소시키는 요인이 된다. •20회 (O | X)

20 부동산의 물리적인 공급은 단기적으로 비탄력적이라 할 수 있다. •26회 (O | X)

21 주택의 단기공급곡선은 가용생산요소의 제약으로 장기공급곡선에 비해 더 비탄력적이다. •24회 (O | X)

22 수요와 공급이 모두 증가하는 경우, 균형가격의 상승 여부는 수요와 공급의 증가폭에 의해 결정되고 균형량은 증가한다. •28회 (O | X)

23 균형상태인 시장에서 수요의 증가가 공급의 증가보다 큰 경우, 새로운 균형가격은 상승하고 균형거래량도 증가한다. •25회 (O | X)

24 수요의 가격탄력성이 비탄력적이라는 것은 가격의 변화율에 비해 수요량의 변화율이 크다는 것을 의미한다. •27회 (O | X)

25 수요의 가격탄력성이 완전탄력적이면 가격의 변화와는 상관없이 수요량이 고정된다. •29회 (O | X)

26 대체재가 있는 경우 수요의 가격탄력성은 대체재가 없는 경우보다 비탄력적이 된다. •28회 (O | X)

정답
17 ○ 18 ○ 19 X (감소 → 증가) 20 ○ 21 ○ 22 ○ 23 ○ 24 X (비탄력적 → 탄력적) 25 X (완전탄력적 → 완전비탄력적) 26 X (비탄력적 → 탄력적)

27 일반적으로 부동산수요의 가격탄력성은 단기에서 장기로 갈수록 더 비탄력적이 된다. •28회 (O ¦ X)

28 임대주택 수요의 가격탄력성이 1인 경우 임대주택의 임대료가 하락하더라도 전체 임대료 수입은 변하지 않는다. •30회 (O ¦ X)

29 공급의 가격탄력성이 탄력적이면 가격의 변화율보다 공급량의 변화율이 더 크다. •29회 (O ¦ X)

30 주택공급의 가격탄력성은 단기에 비해 장기에 더 크게 나타난다. •29회 (O ¦ X)

31 용도변경을 제한하는 법규가 강화될수록 공급은 이전에 비해 비탄력적이 된다. •28회 (O ¦ X)

32 부동산경기는 일반경기와 같이 일정한 주기와 동일한 진폭으로 규칙적이고 반복되며 순환한다.
•31회 (O ¦ X)

33 부동산경기변동은 일반경기변동에 비해 정점과 저점 간의 진폭이 작다. •26회 (O ¦ X)

34 부동산경기변동은 건축착공량, 거래량 등으로 확인할 수 있다. •29회 (O ¦ X)

35 일반적으로 건축착공량과 부동산거래량 등이 부동산경기의 측정지표로 많이 사용된다. •21회
(O ¦ X)

36 부동산시장은 일반경기변동과 같은 회복·상향·후퇴·하향의 4가지 국면 외에 안정시장이라는 국면이 있다. •26회 (O ¦ X)

37 회복시장에서 직전 국면 저점의 거래사례가격은 현재 시점에서 새로운 거래가격의 하한이 되는 경향이 있다. •31회 (O ¦ X)

정답
27 X (비탄력적 → 탄력적) 28 O 29 O 30 O 31 O 32 X (부동산경기는 일반경기에 비해 순환국면이 명백하지 않고 일정하지 않으며, 불규칙적이다) 33 X (작다 → 크다) 34 O 35 O 36 O 37 O

38 상향시장에서 직전 국면의 거래사례가격은 현재 시점에서 새로운 거래가격의 상한이 되는 경향이 있다. •23회 •26회 (O | X)

39 무작위적 변동이란, 예기치 못한 사태로 초래되는 비순환적 경기변동현상을 말한다. •22회 (O | X)

40 대학교 근처의 임대주택이 방학을 주기로 공실률이 높아지는 것은 계절적 변동에 속한다. •22회 (O | X)

41 A부동산의 수요곡선 기울기가 −0.3, 공급곡선 기울기가 0.7인 조건일 때 거미집이론에 따를 경우, 수요가 증가하면 A부동산의 모형 형태는 순환형이다[단, X축은 수량(quantity), Y축은 가격(price)을 나타내며, 다른 조건은 동일함]. •24회 (O | X)

42 거미집이론에서 수요곡선의 기울기의 절댓값이 공급곡선의 기울기의 절댓값보다 크면 '발산형'이다. •31회 (O | X)

43 부동산시장의 분화현상은 경우에 따라 부분시장(submarket)별로 시장의 불균형을 초래하기도 한다. •29회 (O | X)

44 개별성의 특성은 부동산상품의 표준화를 가능하게 하지만 부동산시장을 복잡하고 다양하게 한다. •26회 (O | X)

45 부동산시장에서는 수요와 공급의 불균형으로 인해 단기적으로 가격형성이 왜곡될 가능성이 있다. •23회 (O | X)

46 주택의 수요(demand)와 주택소요(needs)의 개념은 서로 다르다. •22회 (O | X)

정답 38 X (상한 → 하한) 39 O 40 O 41 X (순환형 → 수렴형) 42 O 43 O 44 X (표준화를 가능하게 하지만 → 표준화를 어렵게 할 뿐만 아니라) 45 O 46 O

47 저급주택이 수선되거나 재개발되어 상위계층에서 사용되는 것을 하향여과라 한다. •30회 (O ¦ X)

48 주택의 하향여과 과정이 원활하게 작동하면 저급주택의 공급량이 감소한다. •31회 (O ¦ X)

49 고소득층 주거지와 저소득층 주거지가 인접한 경우, 경계지역 부근의 저소득층 주택은 할인되어 거래되고 고소득층 주택은 할증되어 거래된다. •27회 (O ¦ X)

50 주거분리는 도시 전체뿐만 아니라 지리적으로 인접한 근린지역에서도 발생할 수 있다. •21회 •27회
(O ¦ X)

51 강성 효율적 시장에서는 누구든지 어떠한 정보로도 초과이익을 얻을 수 없다. •22회 •29회 (O ¦ X)

52 강성 효율적 시장은 공표된 정보는 물론이고 아직 공표되지 않은 정보까지도 시장가치에 반영되어 있는 시장이므로 이를 통해 정상이윤을 얻을 수 없다. •27회 (O ¦ X)

53 부동산시장의 경우 불완전경쟁시장에서도 할당효율적 시장이 이루어질 수 있다. •29회 (O ¦ X)

54 경제지대는 어떤 생산요소가 다른 용도로 전용되지 않고 현재의 용도에 그대로 사용되도록 지급하는 최소한의 지급액이다. •29회 (O ¦ X)

55 리카도(D. Ricardo)의 차액지대론에 의하면 토지소유자는 토지 소유라는 독점적 지위를 이용하여 최열 등지에도 지대를 요구한다. •31회 (O ¦ X)

56 지대란 토지의 비옥도나 생산력에 관계없이 발생한다고 설명하는 지대론은 마르크스(K. Marx)의 절대 지대설이다. •27회 (O ¦ X)

정답
47 X (하향여과 → 상향여과) **48** O **49** X (할인 ↔ 할증) **50** O **51** O **52** X (정상이윤 → 초과이윤) **53** O
54 X (경제지대는 → 전용수입은) **55** X [리카도(D. Ricardo)의 차액지대론 → 마르크스(K. Marx)의 절대지대론]
56 O

57 마샬(A. Marshall)은 일시적으로 토지와 유사한 성격을 가지는 생산요소에 귀속되는 소득을 준지대로 설명하고, 장기적으로 공급량이 일정한 생산요소에 지급되는 소득으로 보았다. •28회 (O | X)

58 위치지대설에 따르면 다른 조건이 동일한 경우, 지대는 중심지에서 거리가 멀어질수록 상승한다.
•24회 (O | X)

59 알론소(W. Alonso)는 단일도심도시의 토지이용형태를 설명함에 있어 입찰지대의 개념을 적용하였다.
•31회 (O | X)

60 도심지역에 건물들이 고층화되는 것은 토지에 대한 자본의 대체성이 낮다는 것이다. •21회 (O | X)

DAY

03

| 최빈출 POINT　　34 도시공간구조이론(도시내부구조이론)
★★★

| POINT 34 | ### 도시공간구조이론(도시내부구조이론)　28회, 29회, 30회, 31회 |

↳ 에듀윌 1차 기본서 [부동산학개론] pp.194~201

1 단핵이론과 다핵이론

단핵이론	동심원이론, 선형이론 ① 도심 – 중심업무지구 (○) ② 부도심 – 외부업무지구 (×)
다핵이론	다핵심이론 ➡ 대도시에 적합 ① 도심 – 중심업무지구 (○) ② 부도심 – 외부업무지구 (○)

2 동심원이론 – 버제스(E. W. Burgess)

의 의	도시는 그 중심지에서 동심원상으로 확대되어 5개 지구로 분화되면서 성장한다는 이론 ➡ 튀넨(V. Thünen)의 고립국이론을 도시내부구조 설명에 응용한 것
토지이용 패턴	중심업무지대 ➡ 천이(전이, 점이)지대 ➡ 근로자 주택지대 ➡ 중산층 주택지대 ➡ 통근자지대
특 징	① 도시의 공간구조를 도시생태학적 관점에서 접근 ② 도시의 공간구조 형성을 침입, 경쟁, 천이 등의 과정으로 설명 ③ 주택지불능력이 낮은 저소득층일수록 고용기회가 많은 도심지역에 주거입지를 선정하는 경향이 있음
비 판	① 시카고 시만을 대상으로 한 연구 ➡ 일반성이 결여됨 ② 도로 및 교통수단의 발달이 동심원형을 변형시킬 수 있음을 고려하지 않음

3 선형이론 - 호이트(H. Hoyt)

의 의	토지이용은 도심에서 시작되어 점차 교통망을 따라 동질적으로 확장되므로, 원을 변형한 모양으로 도시가 성장한다는 이론 ➡ 부채꼴모양(선형), 쐐기형 지대모형
특 징	① 고급주택은 교통망의 축에 가까이 입지하고, 중급주택은 고급주택의 인근에 입지하며, 저급주택은 반대편에 입지하는 경향이 있음 ② 주택지불능력이 있는 고소득층은 기존의 도심지역과 주요 교통노선을 축으로 하여 접근성이 양호한 지역에 입지하는 경향이 있음
비 판	① 단순히 과거의 경향을 말하는 것일 뿐, 도시성장의 추세분석을 유도하기에는 미흡함 ② 동일 수준의 주택이 집적하는 데 대한 설명은 있으나, 그 원인에 대한 설명이 없음

4 다핵심이론 - 해리스(C. D. Harris) & 울만(E. L. Ullman)

의 의	① 도시가 성장하면 핵심의 수가 증가하고, 도시는 복수의 핵심 주변에서 발달한다는 이론 ② 도시는 하나의 중심지가 아니라 몇 개의 중심지들로 구성된다는 것으로, 대도시에 적합한 이론
특 징	① 도시 토지이용의 패턴은 하나의 핵으로 구성된 것이 아니라 같은 토지 내에 여러 개의 이산(離散)되는 핵으로 구성되어 있다는 이론 ② 도시성장은 분산된 핵을 따라 행해졌으며, 핵의 형성은 입지조건에 따라 다름
다핵이 성립하는 요인	① 동종의 활동(유사활동) ➡ 집적이익이 발생하므로 특정지역에 모여서 입지 (➡ 집중지향성, 집적지향성) ② 이종의 활동(이질 활동) ➡ 상호간의 이해가 상반되므로 떨어져서 입지 (➡ 입지적 비양립성) ③ 어떤 활동들은 특정한 위치나 특별한 시설을 요구함 ④ 업종에 따라서는 높은 지대를 지불할 능력이 없어서 지대가 높은 곳에 입지하지 못하고 분리되어 입지

입지와 입지선정

↳ 에듀윌 1차 기본서 [부동산학개론] pp.203~204

1 입지와 입지선정의 의미

입 지	어떤 입지주체가 차지하고 있는 주택 · 공장 · 상점 · 학교 · 사무실 등이 자리잡고 있는 자연 및 인문적 위치 ➡ 정적, 공간적 개념
입지선정	입지주체가 추구하는 입지조건을 갖춘 토지를 발견하는 것 ➡ 동적, 공간적, 시간적 개념

2 입지론과 적지론

입지론	주어진 용도에는 어떤 용지? ➡ 용지선정 (➡ 부동성)
적지론	주어진 용지는 어떤 용도? ➡ 용도선정 (➡ 용도의 다양성)

3 입지조건

입지대상이 내포하고 있는 토지의 자연적 · 인문적 조건

자연적 조건	지세 · 지질 · 지형 · 기후 · 경관 등
인문적 조건	사회적 · 경제적 · 행정적인 측면

상 권

↳ 에듀윌 1차 기본서 [부동산학개론] pp.207~210

1 상권의 의의 및 특징

의 의	① 대상 상가가 흡인할 수 있는 실질적인 소비자의 숫자가 존재하는 권역 ② 상업활동을 성립시키는 지역조건을 가진 공간적 넓이 ③ 상업활동을 하는 곳
특 징	① 시장지역 또는 배후지(hinterland)라고도 부름 ② 배후지의 인구밀도가 높고, 지역면적이 크며, 고객의 소득수준이 높아야 좋은 상권을 형성함 ③ 상권마다 매매관습과 소비관습의 차이가 있음 ④ 경쟁자의 출현은 상권을 차단하는 중요한 장애물이고, 그 밖에 고속도로, 철도, 하천, 공원, 사회적 지위, 소득수준, 문명, 종교 등의 차이도 상권을 차단하는 장애물임 ⑤ 취급 상품의 판매액에 따라 제1차, 제2차, 제3차 상권으로 분류하기도 함

2 상권획정의 방법

의 의	주어진 입지에 적합한 업종과 상권의 범위, 매출액을 추정하는 방법
시장침투 접근법	① 대부분의 상권 분석 ② 상권의 중첩부분 인정 ➡ 경쟁이 심한 업종 ③ 백화점, 슈퍼마켓
공간독점 접근법	① 거리제한을 두는 업종 ② 면허가 필요한 업종 ③ 주류공급업, 우체국, 프랜차이즈점, 주유소
분산시장 접근법	① 전문화된 상품으로서 특정 수요계층을 대상으로 하는 경우 ② 고급 가구점

중심지이론 – 크리스탈러(W. Christaller)

↳ 에듀윌 1차 기본서 [부동산학개론] pp.210~214

1 의의 및 주요개념

의 의	중심지 계층 간의 포섭원리로서 중심지는 중심성의 상대적 크기에 따라 고차 중심지와 저차 중심지로 구분되며, 고차일수록 저차보다 중심지 간의 거리가 더 멀고 규모가 크며 다양한 중심기능을 가진다는 이론	
주요개념	중심지	도시가 위치한 지역의 중심에서 재화와 서비스를 생산·공급하는 곳
	재화의 도달거리 (범위)	① 특정 재화나 서비스를 얻기 위하여 사람들이 기꺼이 통행하려는 최대의 거리 ② 중심지 기능이 주변지역에 미치는 최대한의 공간적인 범위 ③ 중심지가 수행하는 기능이 중심지로부터 미치는 한계거리 ④ 중심지 활동이 제공되는 공간적 한계로, 중심지로부터 어느 기능에 대한 수요가 '0'(또는 상품의 판매량이 '0')이 되는 지점까지의 거리
	최소 요구치	① 중심지가 중심기능을 유지하기 위하여 필요로 하는 최소한의 인구수 ② 중심지 기능이 유지되기 위한 최소한의 수요 요구 규모
중심지 유지 요건	최소요구치의 범위보다 재화의 도달거리(범위)가 커야 함	

2 내용

구 분	저차원 중심지	고차원 중심지
교통이 발달할수록	쇠락	발달
중심지의 수	많음	적음
	저차원 중심지에서 고차원 중심지로 갈수록 중심지의 수는 피라미드형	
배후지의 규모	규모가 더 작아지고 단순한 기능 수행	규모가 더 커지고 다양한 중심기능 수행

수요자의 도달거리	가까움	멂
중심지 간의 거리	가까움	멂
취급상품	저급상품	고급상품
소비자의 이용빈도	높음	낮음

➕ 인구가 증가하거나 경제가 활성화될수록 중심지의 규모는 커지고 중심지가 많아지며, 중심지 간의 거리는 가까워짐

POINT 38   **소매인력법칙 – 레일리(W. J. Reilly)**   27회, 29회

↳ 에듀윌 1차 기본서 [부동산학개론] pp.214~216

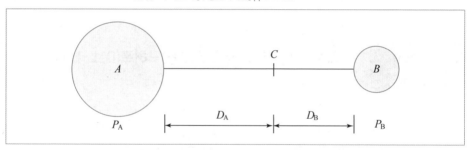

1 의 의

① 중력모형을 이용한 상권의 범위를 확정하는 모형

② 두 중심지 사이에 위치하는 소비자에 대하여 상권이 미치는 영향력의 크기는 그 두 중심지의 크기에 비례하여 배분됨

③ 두 중심지가 소비자에게 미치는 영향력의 크기는 두 중심지의 크기에 비례하고 거리의 제곱에 반비례함

④ 2개 도시의 상거래 흡인력은 두 도시의 인구수에 비례하고, 두 도시의 분기점으로부터 거리의 제곱에 반비례함 ➡ 레일리 법칙

상권의 경계	큰 도시에서 멀고 작은 도시에서 가까움
구매지향비율 (고객유인력)	$\cdot$ 구매지향비율(고객유인력) $= \dfrac{\text{크기}}{\text{거리}^2}$ $\cdot$ A고객유인력 $= \dfrac{A\text{도시의 크기}}{A\text{까지의 거리}^2}$ $\cdot$ B고객유인력 $= \dfrac{B\text{도시의 크기}}{B\text{까지의 거리}^2}$
B에 대한 A의 구매지향비율	$\dfrac{A\text{도시의 인구}}{B\text{도시의 인구}} \times \left(\dfrac{B\text{까지의 거리}}{A\text{까지의 거리}} \right)^2$

POINT 39   소매지역이론(확률적 상권모형) – 허프(D. L. Huff)

28회, 29회, 30회

↳ 에듀윌 1차 기본서 [부동산학개론] pp.217~219

의의	① 대도시에서 쇼핑 패턴을 결정하는 확률모형을 제시 ② 소비자는 자신의 기호나 소득수준을 고려하여 구매활동을 함 ③ 소비자는 가장 가까운 곳에서 상품을 선택하려는 경향이 있으나, 적당한 거리에 고차원 중심지가 있으면 인근의 저차원 중심지를 지나칠 가능성이 커짐

	① 구매지향비율(고객유인력)

<table>
<tr><td rowspan="3">내용</td><td>
① 구매지향비율(고객유인력)

$$\frac{크기}{거리^\lambda}$$

$[\lambda: 공간(거리)마찰계수]$
</td></tr>
<tr><td>
② 소비자거주지에 거주하는 소비자가 A, B 두 할인매장 중 A매장으로 구매하러 갈 확률(시장점유율)

$$\frac{A고객유인력}{A고객유인력 + B고객유인력}$$

· $A고객유인력 = \dfrac{A매장면적}{A매장까지의 거리^\lambda}$

· $B고객유인력 = \dfrac{B매장면적}{B매장까지의 거리^\lambda}$

$[단, \lambda: 공간(거리)마찰계수]$
</td></tr>
<tr><td>
③ A매장의 이용객 수

소비자거주지 인구 × A매장의 시장점유율

④ 소비자가 특정 점포를 이용할 확률은 경쟁점포의 수, 점포와의 거리, 점포의 면적에 의해 결정됨

⑤ 공간(거리)마찰계수는 시장의 교통조건과 쇼핑물건의 특성에 따라 달라지는 값으로, 공간(거리)마찰계수는 교통조건이 나쁠수록 커지게 됨
</td></tr>
</table>

➕ 소매인력법칙(레일리) vs 확률적 상권모형(허프)

레일리 – 소매인력법칙	허프 – 확률적 상권모형
· 중력모형	· 확률모형
· 도시단위연구	· 상점(점포)단위연구
· 거시적 분석	· 미시적 분석
· 고객유인력	· 고객유인력
· ┌ 크기 ➡ 비례 └ 거리² ➡ 반비례	· ┌ 크기 ➡ 비례 └ 거리$^\lambda$ ➡ 반비례 (λ: 공간마찰계수)

분기점모형 – 컨버스(P. D. Converse)

↳ 에듀윌 1차 기본서 [부동산학개론] pp.216~217

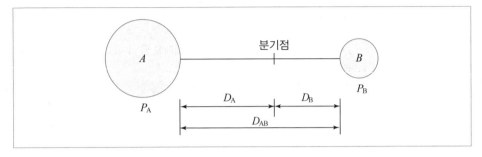

1 의 의

레일리 법칙을 응용하여 두 도시(도시 A와 B) 간의 구매영향력이 같은 분기점의 위치를 구하는 방법을 제시한 것

2 A도시로부터 상권의 분기점(경계지점)까지의 거리(D_A)

$$D_A = \frac{D_{AB}}{1+\sqrt{\dfrac{P_B}{P_A}}} = \frac{\text{도시 } A\text{와 } B \text{ 간의 거리}}{1+\sqrt{\dfrac{B\text{의 면적}}{A\text{의 면적}}}}$$

공간균배의 원리, 점포의 종류와 입지

↳ 에듀윌 1차 기본서 [부동산학개론] pp.221~223

1 공간균배의 원리

의 의	경쟁관계에 있는 점포 사이에 경쟁이 나타나면 장기적으로 공간(배후지)을 균등하게 배분하게 된다는 원리
내 용	① 시장이 좁고 수요의 교통비 탄력성이 작은 경우: 집심적 입지현상 ② 시장이 넓고 수요의 교통비 탄력성이 큰 경우: 분산입지현상

2 입지유형별 점포 – 소재 위치에 따른 분류

집심성 점포	배후지의 중심지(CBD)에 입지하는 것이 경영상 유리한 점포 ⑩ 도매점, 백화점, 고급음식점, 보석점, 영화관 등
집재성 점포	동일 업종의 점포가 서로 한 곳에 모여서 입지하여야 하는 유형의 점포 ⑩ 은행, 보험회사, 관공서, 서점, 기계점, 가구점 등
산재성 점포	동일 업종의 점포가 서로 분산입지하여야 하는 유형의 점포 ⑩ 잡화점, 양화점, 이발소, 공중목욕탕, 세탁소 등
국부적 집중성 점포	동일 업종의 점포끼리 국부적 중심지에 입지하여야 하는 점포 ⑩ 농기구점, 석재점, 철공소, 비료상점, 종묘점 등

3 상품에 따른 상점의 종류 - 구매 관습에 의한 상점의 분류

편의품점	의 의	일상의 생활필수품을 판매하는 상점
	특 징	① 주로 저차원 중심지에 입지 ② 상품은 주로 가정용이고, 고객은 주부가 많으며, 늘 통행하는 길목에 상점이 위치, 주로 산재성 점포 ③ 상권은 도보로 10~20분 정도, 거리는 1,000m를 넘지 않는 범위 ④ 주로 인근지역에 많고 도심상업지역에는 많지 않음
선매품점	의 의	고객이 상품의 가격·스타일·품질 등을 여러 상점을 통해서 비교하여 구매하는 상품(선매품)을 판매하는 상점
	특 징	① 주로 중차원 또는 고차원 중심지에 입지 ② 집심성·집재성 점포에 속하는 경우가 많음 ③ 고객의 취미 등이 잘 반영되어야 하므로 표준화가 어려움 ④ 비교적 원거리에서 고객이 찾아오므로 교통수단이나 접근성이 좋아야 함 ⑩ 가구, 부인용 의상, 보석류 등
전문품점	의 의	고객이 특수한 매력을 찾으려는 상품으로서 구매를 위한 노력을 아끼지 않고, 가격수준도 높으며, 광고된 유명상표 상품을 취급하는 상점
	특 징	① 고차원 중심지에 입지 ② 집심성 점포에 속하는 경우가 많음 ③ 상품의 성격상 구매결정에 신중을 기해야 하는 것 ④ 구매빈도는 낮으나 이윤율은 높음 ⑩ 고급양복, 고급시계, 고급카메라, 고급자동차 등

매장용 부동산의 부지선정

↳ 에듀윌 1차 기본서 [부동산학개론] pp.223~225

1 부지선정의 단계

기존 부지의 분석 ➡ 도시분석 ➡ 근린분석 ➡ 대상근린지역의 선정 ➡ 대상부지 선정

2 가능매상고(예상매출액)의 추계방법

비율법	해당 점포에서 취급하는 상품들에 대한 지출가능금액이 1인당(또는 가구당) 가처분소득에서 차지하는 비율을 구하는 방법
유추법	같은 회사 내 다른 지역의 유사한 점포의 매출액을 통해 해당 점포의 예상매출액을 추계하는 방법
중력모형	두 물체 간의 인력은 거리의 제곱에 반비례하고 질량의 크기에 비례한다는 만유인력법칙을 적용하여, 해당 점포의 예상매출액을 추계하는 방법
회귀모형	매상고에 영향을 주는 여러 가지 변수들을 설정하고, 이 변수들로 대상 점포의 예상매상고를 추계하는 방법 ➡ 점포의 매상고는 종속변수가 되며, 매상고에 영향을 주는 다른 변수들은 독립변수가 됨 ① 독립변수: 거래지역 내의 인구수, 소득, 지출가능액, 경쟁업체의 규모, 임차자의 질, 점포의 디자인, 주차장, 접근성, 가시도 등 ② 단점: 개발하는 데 많은 시간과 노력이 들며, 시장지역 및 소비자의 행태 등에 변화가 심할 때는 설정된 기존모형으로 대상점포의 매상고를 추계하기 곤란함

최소비용이론 – 베버(A. Weber), 최대수요이론 – 뢰쉬(A. Lösch)

29회

↳ 에듀윌 1차 기본서 [부동산학개론] pp.226~232

1 최소비용이론 – 베버(A. Weber)

의 의	① 공업입지는 생산과 판매에 있어 최소운송비가 드는 지점에서 이루어진다는 최소비용이론을 주장 ② 수송비는 원료와 제품의 무게, 원료와 제품이 수송되는 거리에 의해 결정된다는 원칙을 적용하여 이론을 전개 ③ 산업입지에 영향을 주는 요소: 수송비, 노동비, 집적이익
원료지수	제품중량에 대한 국지원료중량의 비율 $$원료지수 = \dfrac{국지원료중량}{제품중량} \begin{matrix} > 1 \cdots 원료지향형 \\ = 1 \cdots 자유입지형 \\ < 1 \cdots 시장지향형 \end{matrix}$$
입지중량	제품 1단위의 이동에 필요한 중량 $$입지중량 = \dfrac{국지원료중량 + 제품중량}{제품중량} \begin{matrix} > 2 \cdots 원료지향형 \\ = 2 \cdots 자유입지형 \\ < 2 \cdots 시장지향형 \end{matrix}$$ $$= 원료지수 + 1$$
원료지향형 입지	① 중량감소산업(예 시멘트공업, 제련공업 등) ② 원료수송비가 제품수송비보다 많은 산업(원료중량 > 제품중량) ③ 부패하기 쉬운 원료·물품을 생산하는 산업(예 통조림공업, 냉동공업) ④ 국지원료(편재원료)를 많이 사용하는 공장
시장(소비지) 지향형 입지	① 중량증가산업(예 청량음료, 맥주 등) ② 제품수송비가 원료수송비보다 많은 산업(제품중량 > 원료중량) ③ 부패하기 쉬운 완제품을 생산하는 산업 ④ 보편원료를 많이 사용하는 공장

자유입지형 산업	수송비의 비중이 작아서 수송비가 입지선정에 거의 작용하지 않는 고도의 대규모 기술집약적 산업 ⑩ 자동차, 항공기, 전자산업 등
집적지향형 산업	수송비의 비중이 적고 기술연관성이 높은 산업으로, 기술·정보·시설·원료 등을 공동이용함으로써 비용을 절감하는 경우 ⑩ 기계공업, 자동차공업, 석유화학, 제철 등
중간지향형 산업	소비시장과 원료산지 사이의 이적지점(移積地點 혹은 적환지점, break-of-bulk point)에 위치한 산업 ➡ 이적지점 지향형 또는 적환지점 지향형이라고도 함
노동지향형 산업	노동집약적이고 미숙련공을 많이 사용하는 의류산업이나 신발산업 같은 것은 저임 금지역에 공장이 입지하는 경향이 있음

2 최대수요이론 – 뢰쉬(A. Lösch)

① 베버의 입지론이 너무 생산비에만 치우쳐 있음을 지적하며 이의를 제기함
② 수요 측면의 입장에서 기업은 시장확대 가능성이 가장 높은 지점에 위치해야 한다고 봄

POINT 44   **부동산정책**   27회, 29회

↳ 에듀윌 1차 기본서 [부동산학개론] pp.244~247

1 부동산정책의 기능

정치적 기능	사회적 목표를 달성하기 위해 시장에 개입하는 것 ➡ 저소득층에 대한 주택공급 관련 여러 가지 주택정책
경제적 기능	시장의 실패를 수정하기 위해서 시장에 개입하는 것 ➡ 외부효과의 제거 문제

2 시장의 실패

의 의	시장이 어떤 이유로 인해서 자원의 적정배분을 자율적으로 조정하지 못하는 것
원 인	① 불완전경쟁(독과점)의 존재 ② 규모의 경제 ③ 외부효과의 존재 ④ 공공재의 부족 ⑤ 거래 쌍방 간의 정보의 비대칭성 및 불확실성

3 공공재

의 의	소비에 있어서 비경합성(非競合性)과 비배제성(非排除性)의 특성을 가지는 재화
원 인	① 소비의 비경합성 ➡ 공동소비성 ② 소비의 비배제성 ➡ 수익자부담의 원칙(×) ➡ 무임승차자 문제 ◉ 국방, 경찰, 소방, 도로, 의무교육, 공원 등

POINT 45	외부효과(외부성) – 부동성, 인접성	28회, 29회

↳ 에듀윌 1차 기본서 [부동산학개론] pp.247~253

1 외부효과의 개념

의 의	어떤 경제활동과 관련하여 거래당사자가 아닌 제3자(bystander)에게 의도하지 않은 이익이나 손해를 가져다주는데도 이에 대한 대가를 받지도 않고 비용을 지불하지도 않는 상태
포인트	① 거래당사자(×) ➡ 제3자 ② 의도하지 않은 ③ 시장(기구)을 통하지 않고 ④ 대가를 받지도 않고 비용을 지불하지도 않는 ➡ 시장이 형성되지 않았음을 의미

2 외부효과(생산 측면)

구 분	정(+)의 외부효과 ➡ 외부경제, 양(+)의 외부성	부(−)의 외부효과 ➡ 외부불경제, 음(−)의 외부성
의 의	다른 사람(제3자)에게 의도하지 않은 혜택을 주고도 이에 대한 대가를 받지 못하는 것	다른 사람(제3자)에게 의도하지 않은 손해를 입히고도 이에 대한 비용을 지불하지 않는 것
편익 및 비용	① 소비: 사적 편익 < 사회적 편익 ② 생산: 사적 비용 > 사회적 비용	① 소비: 사적 편익 > 사회적 편익 ② 생산: 사적 비용 < 사회적 비용
특 징	과소생산, 과다가격	과다생산, 과소가격
해결방안	보조금 지급, 조세경감, 행정규제의 완화	조세중과, 환경부담금 부과, 지역지구제 실시
현 상	PIMFY(Please In My Front Yard) 현상	NIMBY(Not In My Back Yard) 현상

POINT 46 토지정책의 수단   28회, 31회

↳ 에듀윌 1차 기본서 [부동산학개론] pp.253~254

토지이용규제	개별 토지이용자의 토지이용행위를 사회적으로 바람직한 방향으로 유도하기 위해서 법률적 · 행정적 조치에 의거하여 구속하고 제한하는 방법 ⑩ 지역지구제, 건축규제, 각종 인 · 허가, 개발권양도제, 토지이용계획, 계획단위개발 등
직접적 개입	정부나 공공기관이 토지시장에 직접 개입하여 토지에 대한 수요 및 공급자의 역할을 적극적으로 수행하는 방법 ⑩ 토지은행제도, 도시재개발, 공영개발사업, 공공소유제도, 토지수용 등
간접적 개입	기본적으로는 시장기구의 틀을 유지하면서 그 기능을 통해 소기의 효과를 거두려는 방법 ⑩ 금융지원, 보조금 지급, 종합부동산세, 토지거래정보체계 구축, 개발부담금 등

지역지구제

↳ 에듀윌 1차 기본서 [부동산학개론] pp.254~259

1 의의 및 목적

의 의	토지용도를 구분함으로써 이용목적에 부합하지 않은 토지이용이나 건축 등의 행위를 토지의 효율적·합리적 이용을 도모하는 방향으로 규제하는 제도 ➡ 부(-)의 외부효과를 제거하거나 감소하는 것이 목적
목적 및 필요성	① 토지자원의 개발과 보전의 적절한 조화를 목적으로 함 ② 토지자원의 활용 측면에서 세대 간 형평성을 유지하기 위함

2 효 과

단 기	지역지구제 실시 ➡ 부(-)의 외부효과 제거 또는 감소 ➡ 주택수요 증가 ➡ 주택가치 상승 ➡ 기존 투자자의 초과이윤 발생
장 기	신규기업의 시장 진입 ➡ 주택공급 증가 ➡ 주택가치 하락 ➡ 초과이윤 소멸

3 산업의 종류

구 분	주택가치	공급량	장기공급곡선
비용불변산업	원래 수준까지 하락하여 균형	증가	수평선
비용증가산업	원래보다 높은 수준에서 균형	증가	우상향 곡선
비용감소산업	원래보다 낮은 수준에서 균형	증가	우하향 곡선

4 문제점

① 독점의 문제: 초과이윤의 문제는 위치적 이점이 부동산가치에 이미 반영된 사후적 독점에서 발생하지 않고, 반영되지 않은 사전적 독점에서 야기됨

② 지나치게 경직되고 엄격한 지역지구제의 실시는 토지의 공급을 억제하는 한편, 토지의 불법개발 및 이용을 조장할 수 있음

③ 지역지구제는 심각한 지역 간 형평성 문제를 야기할 수 있음

POINT 48 개발이익 환수제 30회

↳ 에듀윌 1차 기본서 [부동산학개론] pp.259~260

1 개발이익의 개념

개발이익이란 개발사업의 시행이나 토지이용계획의 변경, 그 밖에 사회적·경제적 요인에 따라 정상지가 상승분을 초과하여 개발사업을 시행하는 자(사업시행자)나 토지소유자에게 귀속되는 토지가액의 증가분을 말함(개발이익 환수에 관한 법률 제2조 제1호)

2 개발이익의 환수

국가는 공공기관의 개발사업 등으로 인하여 토지소유자의 노력과 관계없이 정상지가 상승분을 초과하여 개발이익이 발생한 경우, 이를 개발부담금으로 환수할 수 있음

토지은행제도(공공토지비축제도)   28회, 29회

↳ 에듀윌 1차 기본서 [부동산학개론] pp.261~262

의 의	공공이 토지를 매입한 후 보유하고 있다가 적절한 때에 이를 매각하거나 공공용으로 사용하는 제도
장 점	① 개인 등에 의한 무질서하고 무계획적인 토지개발을 막을 수 있어서 효과적인 도시계획목표의 달성에 기여 ② 공공재나 공공시설을 위한 토지를 값싸게 제때에 공급 가능 ③ 개발이익을 사회에 환원
단 점	① 막대한 토지매입비 필요 ② 적절한 투기방지대책 없이 대량으로 토지를 매입할 경우 지가상승 유발 ③ 토지 매입 시와 매출 시 사이의 과도기 동안 공공자유 보유상태의 토지를 정부가 관리해야 하는 문제 ④ 투기를 억제하고 개발이익을 사회에 환원하기 위해 토지 매입 시 토지의 가격을 기회비용의 수준으로 묶어 둘 사전조치를 취하기 어려움

임대료 규제정책 ▶

↳ 에듀윌 1차 기본서 [부동산학개론] pp.263~265

의의	임대료 규제를 임대료 한도제라고도 하며, 정부가 임대주택시장에 개입하여 임대료를 일정수준 이상 올릴 수 없도록 하는 제도 ➡ 최고가격제
정책적 효과	① 임대주택에 대한 초과수요 발생 ➡ 공급부족 ② 임차인 　㉠ 임차인들이 임대주택을 구하기가 어려워짐 　㉡ 임차인들의 주거이동이 저하됨 ➡ 사회적 비용 증가 ③ 임대인 　㉠ 기존의 임대주택이 다른 용도로 전환됨 　㉡ 임대주택에 대한 투자기피현상 발생 　㉢ 임대주택 서비스의 질 저하 ④ 정부: 정부의 임대소득세 수입 감소 ⑤ 시장: 암시장 형성, 불법거래 성행
주요내용	① 규제임대료를 시장(균형)임대료보다 낮은 임대료로 설정 ➡ 효과 있음 　㉠ 초과수요 　㉡ 임대료상승압력 　㉢ ┌ 단기(비탄력적): 초과수요 작음 ➡ 정책효과 큼 　　　└ 장기(탄력적): 초과수요 큼 ➡ 정책효과 작음 　㉣ 임대료↓, 수요량↑, 공급량(장기)↓, 품질↓ ② 규제임대료를 시장(균형)임대료보다 높은 임대료로 설정 ➡ 아무런 변화 없음 　㉠ 초과공급 ➡ × 　㉡ 임대료하락압력 ➡ × 　㉢ 현재의 균형가격을 그대로 유지함 　㉣ 아무런 정책효과 없음

임대료 보조정책 – 간접적 개입 ▶

↳ 에듀윌 1차 기본서 [부동산학개론] pp.265~268

의 의	저소득층의 주택문제를 해결하기 위해 일정수준 이하의 저소득층에게 정부가 무상으로 임대료의 일부를 보조해 주는 것 예 주택바우처 제도 ➡ 수요 측 보조금과 공급 측 보조금으로 나눌 수 있음

	구 분	가격보조 ➡ 임대료보조	소득보조 ➡ 현금보조
수요 측 보조금 ↓ **임차인 주거지 선택의 자유보장**	의 의	주택의 상대가격을 낮춤으로써 저소득임차가구의 주택소비를 증가	실질소득이 현금보조액만큼 증가한 것과 같으므로 주택임차가구의 주택부담 능력이 높아짐
	비 교	소비증대효과가 큼	효용증대효과가 큼
	정책적 효과	**단 기** ① 수요량↑, 공급량 불변(공급곡선 수직), 시장임대료↑ ② 임대주택 공급자만 혜택	
		장 기 공급량↑, 시장임대료↓, 거래량 증가, 임차인도 혜택	
		포인트 ① 소비↑, 효용↑, 공급량↑, 상대가격 하락 ② 임차인이 실제 부담하는 지불임대료는 원래보다 낮아짐	

공급 측 보조금	의 의	주택 생산자에게 낮은 금리로 건설자금을 지원하는 방법 ➡ 생산비를 낮추는 효과가 있으므로 주택공급을 증대시키는 효과가 있음	
	정책적 효과	**단 기**	공급곡선 수직 ➡ 아무런 효과 없음
		장 기	생산비 절감 ➡ 주택공급 증가 ➡ 시장임대료 하락 ➡ 주택소비 증가

공공임대주택정책 – 직접적 개입 ▶

↳ 에듀윌 1차 기본서 [부동산학개론] pp.268~273

의 의	정부에서 사적 시장의 주택과 품질이 유사한 공공임대주택을 사적 시장보다 공공시장에서 값싸게 공급하는 것	

효 과	구 분	사적 임대주택시장	공공임대주택시장
	단 기	수요 감소 ➡ 임대료 하락 ➡ 임차인 혜택	낮은 임대료로 공급 ➡ 수요 증가 ➡ 임차인 혜택
		단기적으로 사적 시장의 임대료 하락 ➡ 사적 시장과 공공시장의 임차인 모두 혜택	
	장 기	공급 감소 ➡ 임대료 상승 ➡ 임차인 혜택 소멸	낮은 임대료로 공급 ➡ 임차인 혜택
		① 장기적으로 사회 전체의 임대주택 공급량은 불변 ② 공공시장으로 이동해 온 임차인만 임대료 차액만큼 주거비를 보조받는 효과 발생 ➡ 공공시장 임차인만 혜택	

분양가 상한제(분양가 규제)

↳ 에듀윌 1차 기본서 [부동산학개론] pp.273~275

1 의의 및 목적

의 의	신규분양주택의 분양가격을 정부가 통제하는 것으로, 공동주택의 분양가격을 산정할 때 일정한 건축비에 택지비를 더하여 분양가격을 산정하게 하고, 그 가격 이하로 분양하게 하는 분양가 규제 제도
목 적	주택가격을 안정시키고, 무주택자의 신규주택 구입 부담을 경감시키기 위함

2 내 용

분양가 상한제 적용주택 (주택법 제57조)	① 사업주체가 일반인에게 공급하는 공동주택 중 다음 어느 하나에 해당하는 지역에서 공급하는 주택의 경우에는 법률에서 정하는 기준에 따라 산정되는 분양가격 이하로 공급하여야 함 　㉠ 공공택지 　㉡ 공공택지 외의 택지에서 주택가격 상승 우려가 있어 국토교통부장관이 주거정책심의위원회 심의를 거쳐 지정하는 지역 ② 단, 다음의 어느 하나에 해당하는 경우에는 적용하지 아니함 　㉠ 도시형 생활주택 　㉡ 「경제자유구역의 지정 및 운영에 관한 특별법」에 따라 지정·고시된 경제자유구역에서 건설·공급하는 공동주택으로서 경제자유구역위원회에서 외자유치 촉진과 관련이 있다고 인정하여 「주택법」 제57조에 따른 분양가격 제한을 적용하지 아니하기로 심의·의결한 경우 　㉢ 「관광진흥법」에 따라 지정된 관광특구에서 건설·공급하는 공동주택으로서 해당 건축물의 층수가 50층 이상이거나 높이가 150미터 이상인 경우 　㉣ 한국토지주택공사 또는 지방공사가 법령의 정비사업의 시행자로 참여하는 등 공공요건을 충족하는 경우로써 해당 사업에서 건설·공급하는 주택 　㉤ 「도시 및 주거환경정비법」에 따른 공공재개발사업에서 건설·공급하는 주택

분양가격	국토교통부장관이 매년 3월과 9월에 고시하는 기본형 건축비에 가산비용과 택지비를 적용하여 산출 분양가격 = 택지비 + 택지비가산비 + 기본형 건축비 + 건축비가산비 ➕ 가산비: 품질 향상을 위해 추가적으로 발생한 비용
전매제한	주택법령상 분양가 상한제 적용주택 및 그 주택의 입주자로 선정된 지위에 대하여 전매를 제한할 수 있음

POINT 54 　분양가 자율화 정책

↳ 에듀윌 1차 기본서 [부동산학개론] p.275

의 의	정부가 사적 시장의 가격규제를 풀고 자율화함으로써 시장의 수요와 공급에 의해 가격이 결정되도록 하는 것
정책적 효과	① 분양가를 자율화하기 위해서는 택지의 확보, 금융지원 등을 통한 공급증대 노력이 선행되어야 함 ② 신규주택가격이 상승하여 장기적으로 신규주택의 공급 확대 ③ 전매차익을 줄여 투기적 수요 감소 ④ 주택산업의 수익성이 향상되고, 경쟁으로 인해 주택의 품질 개선 ⑤ 대형주택 위주로 주택공급이 확대될 가능성이 높으므로 대형주택 보유에 관한 과세를 강화하여야 함 ⑥ 소형주택의 공급이 감소하고 대형주택 위주로 주택공급이 확대되므로 저소득층의 주택부담 가중
포인트	가격↑, 수요량↓(투기 억제), 공급량↑(대형주택), 품질↑

주택 선분양제도와 후분양제도

30회

↳ 에듀윌 1차 기본서 [부동산학개론] p.276

구 분	선분양제도	후분양제도
의 의	주택이 완공되기 이전에 소비자에게 분양하고, 계약금·중도금 등을 완공 이전에 납부하도록 하여 건설금융에 충당할 수 있게 허용한 제도	일정규모 이상 건설공사가 이루어진 뒤 공급하는 방식으로, 건설자금을 건설업자가 직접 조달하는 제도
장 점	① 건설자금 조달 용이 ② 주택공급증가 ➡ 주택시장 활성화 ③ 분양대금 분할납부로 금융부담 경감 ④ 소비자 위험부담하에 주택구입 용이	① 분양권 매매차익 소멸 ➡ 투기 억제 ② 완제품을 비교하여 선택 가능 ③ 소비자의 선택 폭 확대 ➡ 최적선택이 용이 ④ 업체의 품질 경쟁 ➡ 품질 향상
단 점	① 분양권 매매차익 발생 ➡ 투기 발생 ② 완제품을 비교하여 선택할 수 없음 ③ 소비자의 선택 폭 축소 ➡ 최적선택이 곤란 ④ 부실공사 등 주택품질 저하 ⑤ 시장위험이 수요자에게 전가됨	① 건설자금 조달 곤란 ② 공급감소 ➡ 주택시장 침체 가능성 ③ 건설업체의 부도 가능성 확대 ④ 건설업체의 시장위험부담 증가 ⑤ 주택가격 일시납부로 목돈마련이 어려움

↳ 에듀윌 1차 기본서 [부동산학개론] pp.277~284

1 재산세의 부과효과

조세의 전가	조세가 부과되었을 때 각 경제주체들이 자신의 활동을 조정함으로써 조세의 실질적인 부담의 일부 또는 전부를 타인에게 이전시키는 현상
조세의 귀착	재산세는 정부에 의해서 부동산 소유자에게 부과되는데, 실제로 조세를 누가 부담하느냐 하는 문제를 조세의 귀착이라 함
재산세 부과효과	 ① 임대주택시장 ➡ 임대인에게 재산세 부과 　↳ 공급감소 ➡ 공급곡선 좌상향 이동 ➡ 임대료↑, 거래량↓ ② 공급곡선 상향 이동 = 조세부과액($R_2 - R_1$) ③ 주택임대료 상승 ≤ 조세부과액 　(조세전가액)

2 탄력성과 조세귀착

		탄력성과 조세부담은 반비례	
탄력성과 조세귀착	수 요	탄력적일수록	수요자 부담↓, 공급자 부담↑
		비탄력적일수록	수요자 부담↑, 공급자 부담↓
	공 급	탄력적일수록	공급자 부담↓, 수요자 부담↑
		비탄력적일수록	공급자 부담↑, 수요자 부담↓
전액 부담 하는 경우	수 요	완전탄력적	수요자 전액 부담(×), 공급자 전액 부담(○)
		완전비탄력적	수요자 전액 부담(○), 공급자 전액 부담(×)
	공 급	완전탄력적	공급자 전액 부담(×), 수요자 전액 부담(○)
		완전비탄력적	공급자 전액 부담(○), 수요자 전액 부담(×)

➕ 공공임대주택의 공급확대정책은 임대주택의 재산세가 임차인에게 전가되는 현상을 완화시킬 수 있음(∵ 공공임대주택의 공급은 사적 시장의 수요탄력성을 크게 하므로)

3 주택에 대한 영향 – 신규주택과 기존주택에 대한 조세

구 분	신규주택(고가주택)	기존주택(저가주택)
수 요	보다 탄력적	보다 비탄력적
공 급	보다 비탄력적	보다 탄력적
수요자	고소득층	저소득층
비례세 부과	조세부담 작음	조세부담 큼
	➡ 세부담의 역진성 초래	
누진세 부과	조세부담 큼	조세부담 작음
	➡ 수직적 형평성 달성	

4 주택구입에 대한 거래세 인상에 따른 경제적 후생의 변화

① 주택구입에 대한 거래세가 인상되면 주택가격은 상승 ➡ 따라서 수요자가 실질적으로 지불하는 금액이 상승하므로 소비자잉여는 감소
② 세금을 납부하고 공급자가 받는 금액은 하락하므로 생산자잉여는 감소
③ 거래세 인상으로 경제적 순손실(사회적 후생손실) 발생 ⬅ 경제적 순손실(사회적 후생손실)은 세금부과로 인한 소비자잉여 감소분과 생산자잉여 감소분의 합이 정부의 조세수입보다 크기 때문에 발생함
④ 수요곡선은 불변이라고 할 때, 세금부과에 의한 경제적 순손실(사회적 후생손실)은 공급이 비탄력적일수록 작아지고, 공급이 탄력적일수록 커짐 ➡ 따라서 공급이 완전비탄력적이면 경제적 순손실(사회적 후생손실)은 전혀 없게 됨

양도소득세의 부과와 경제적 효과

↳ 에듀윌 1차 기본서 [부동산학개론] pp.284~285

양도소득세 부과	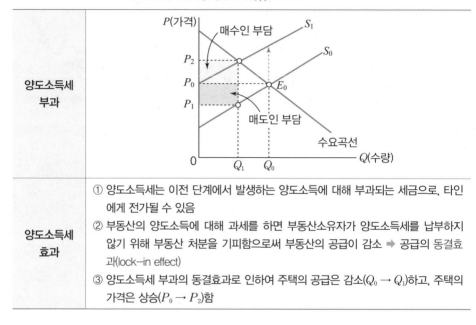
양도소득세 효과	① 양도소득세는 이전 단계에서 발생하는 양도소득에 대해 부과되는 세금으로, 타인에게 전가될 수 있음 ② 부동산의 양도소득에 대해 과세를 하면 부동산소유자가 양도소득세를 납부하지 않기 위해 부동산 처분을 기피함으로써 부동산의 공급이 감소 ➡ 공급의 동결효과(lock-in effect) ③ 양도소득세 부과의 동결효과로 인하여 주택의 공급은 감소($Q_0 \rightarrow Q_1$)하고, 주택의 가격은 상승($P_0 \rightarrow P_2$)함

DAY 03 | 기출지문 CHECK

01 버제스(E. Burgess)의 동심원이론은 토지이용이 도시를 중심으로 지대지불능력에 따라 달라진다는 튀넨(J. H. von Thünen)의 이론을 도시 내부에 적용하였다. •30회 (O | X)

02 호이트(H. Hoyt)는 도시의 공간구조 형성을 침입, 경쟁, 천이 등의 과정으로 나타난다고 보았다.
•28회 (O | X)

03 호이트(H. Hoyt)에 의하면 도시는 전체적으로 원을 반영한 부채꼴모양의 형상으로 그 핵심의 도심도 하나이나 교통의 선이 도심에서 방사되는 것을 전제로 하였다. •30회 (O | X)

04 버제스(E. W. Burgess)는 도시의 성장과 분화가 주요 교통망에 따라 확대되면서 나타난다고 보았다.
•28회 (O | X)

05 해리스(C. D. Harris)와 울만(E. L. Ullman)이 주장한 도시공간구조이론은 입지지대이론이다. •29회
(O | X)

06 크리스탈러(W. Christaller)의 중심지이론은 공간적 중심지 규모의 크기에 따라 상권의 규모가 달라진다는 것을 실증하였다. •30회 (O | X)

07 크리스탈러(W. Christaller)는 재화와 서비스에 따라 중심지가 계층화되며 서로 다른 크기의 도달범위와 최소요구 범위를 가진다고 보았다. •29회 (O | X)

08 크리스탈러(W. Christaller)의 중심지이론에서 중심지는 각종 재화와 서비스 공급기능이 집중되어 배후지에 재화와 서비스를 공급하는 중심지역을 말한다. •24회 (O | X)

정답 **01** O **02** X [호이트(H. Hoyt) → 버제스(E. W. Burgess)] **03** O **04** X [버제스(E. W. Burgess) → 호이트(H. Hoyt)]
05 X (입지지대이론 → 다핵심이론) **06** O **07** O **08** O

09 레일리(W. Reilly)는 두 중심지가 소비자에게 미치는 영향력의 크기는 두 중심지의 크기에 반비례하고 거리의 제곱에 비례한다고 보았다. •29회 (O | X)

10 소매인력법칙은 두 개 도시의 상거래 흡인력은 두 도시의 인구에 비례하고, 두 도시의 분기점으로부터 거리의 제곱에 반비례한다는 법칙이다. •25회 (O | X)

11 허프(D. L. Huff)의 상권분석모형에 따르면, 소비자가 특정 점포를 이용할 확률은 경쟁점포의 수, 점포와의 거리, 점포의 면적에 의해 결정된다. •21회 •29회 (O | X)

12 허프(D. L. Huff)의 모형에서 공간(거리)마찰계수는 시장의 교통조건과 쇼핑물건의 특성에 따라 달라지는 값이다. •30회 (O | X)

13 허프(D. L. Huff)의 모형에서 교통조건이 나쁠 경우, 공간(거리)마찰계수가 커지게 된다. •30회 (O | X)

14 베버(A. Weber)의 공업입지론에서 기업은 수송비, 인건비, 집적이익의 순으로 각 요인이 최소가 되는 지점에 입지한다. •24회 •29회 (O | X)

15 베버(A. Weber)의 공업입지론에서 기업의 입지요인으로 수송비, 인건비, 집적이익을 제시하였다. •24회 (O | X)

16 시장에서 어떤 원인으로 인해 자원의 효율적 배분에 실패하는 현상을 시장의 실패라 하는데, 이는 정부가 시장에 개입하는 근거가 된다. •27회 (O | X)

17 공원 등과 같은 공공재의 경우 과다생산의 문제가 발생될 수 있기 때문에 정부가 부동산시장에 개입할 수 있다. •17회 (O | X)

정답
09 X (반비례 ↔ 비례)   10 O   11 O   12 O   13 O   14 X (수송비와 인건비는 최소인 지점, 집적이익은 최대인 지점을 고려해 최소생산비 지점을 찾아 공장의 최적입지를 결정한다)   15 O   16 O   17 X (과다생산 → 과소생산)

18 공공재의 생산을 시장에 맡길 경우 사회적 적정 생산량보다 과다하게 생산되는 경향이 있다.
• 19회 • 22회 (O | X)

19 외부효과란 어떤 경제활동과 관련하여 거래당사자가 아닌 제3자에게 의도하지 않은 혜택이나 손해를 가져다주면서도 이에 대한 대가를 받지도 지불하지도 않는 상태를 말한다. • 26회 (O | X)

20 부(−)의 외부효과는 사회가 부담하는 비용을 감소시킨다. • 28회 (O | X)

21 정(+)의 외부효과가 발생하면 님비(NIMBY) 현상이 발생한다. • 26회 (O | X)

22 새로 조성된 공원이 쾌적성이라는 정(+)의 외부효과를 발생시키면, 공원 주변 주택에 대한 수요곡선이 좌측으로 이동하게 된다. • 24회 (O | X)

23 토지정책수단 중 도시개발사업, 토지수용, 금융지원, 보조금 지급은 직접개입방식이다. • 28회 (O | X)

24 용도지역 · 지구는 토지이용에 수반되는 부(負)의 외부효과를 제거하거나 완화시킬 목적으로 지정하게 된다. • 23회 • 27회 (O | X)

25 용도지역은 토지를 경제적 · 효율적으로 이용하고 공공복리의 증진을 도모하기 위하여 지정한다.
• 28회 (O | X)

26 용도지역 · 지구제는 토지이용을 제한하여 지역에 따라 지가의 상승 또는 하락을 야기할 수도 있다.
• 26회 (O | X)

27 개발이익 환수제에서 개발이익은 개발사업의 시행에 의해 물가상승분을 초과해 개발사업을 시행하는 자에게 귀속되는 사업이윤의 증가분이다. • 30회 (O | X)

정답 **18** X (과다하게 → 과소하게) **19** O **20** X (감소 → 증가) **21** X [님비(NIMBY) → 핌피(PIMFY)] **22** X (좌측 → 우측) **23** X (금융지원, 보조금 지급은 간접개입방식에 해당한다) **24** O **25** O **26** O **27** X (물가상승분 → 정상지가 상승분)

28 토지비축제도는 정부가 간접적으로 부동산시장에 개입하는 정책수단이다. •28회•29회 (O | X)

29 임대료 규제란 주택 임대인이 일정수준 이상의 임대료를 임차인에게 부담시킬 수 없도록 하는 제도이다. •28회 (O | X)

30 정부가 임대료를 균형가격 이하로 규제하면 민간임대주택의 공급량은 증가할 수 있다. •29회 (O | X)

31 다른 조건이 일정할 때 정부가 임대료 한도를 시장균형임대료보다 높게 설정하면 초과수요가 발생하여 임대부동산의 부족현상이 초래된다. •24회 (O | X)

32 임대료 규제는 임대부동산을 질적으로 향상시키고 기존 세입자의 주거이동을 촉진시킨다. •26회 (O | X)

33 정부가 저소득층에게 임차료를 보조해주면 저소득층 주거의 질적 수준이 높아질 수 있다. •29회 (O | X)

34 임대료 보조금 지급은 저소득층의 주거 여건 개선에 기여할 수 있다. •26회 (O | X)

35 주거복지정책상 주거급여제도는 소비자보조방식의 일종이다. •31회 (O | X)

36 공공임대주택의 임대료가 시장임대료보다 낮은 경우 임대료 차액만큼 주거비 보조효과를 볼 수 있다. •25회 (O | X)

37 공공임대주택의 공급은 주택시장에 정부가 개입하는 사례라 할 수 있다. •23회 (O | X)

정답 28 X (간접적 → 직접적) 29 O 30 X (증가 → 감소) 31 X (높게 → 낮게) 32 X (향상 → 저하, 촉진 → 감소)
33 O 34 O 35 O 36 O 37 O

38 분양가 상한제의 목적은 주택가격을 안정시키고 무주택자의 신규주택 구입부담을 경감시키기 위해서이다. •27회 •30회 (O ¦ X)

39 주택법령상 분양가 상한제 적용주택의 분양가격은 택지비와 건축비로 구성된다. •27회 •30회 (O ¦ X)

40 주택법령상 사업주체가 일반인에게 공급하는 공동주택 중 공공택지에서 공급하는 도시형 생활주택은 분양가 상한제를 적용한다. •27회 (O ¦ X)

41 후분양제도는 초기 주택건설자금의 대부분을 주택구매자로부터 조달하므로 건설자금에 대한 이자의 일부를 주택구매자가 부담하게 된다. •30회 (O ¦ X)

42 선분양제도는 준공 전 분양대금의 유입으로 사업자의 초기자금부담을 완화할 수 있다. •30회 (O ¦ X)

43 조세의 전가란 납세의무자에게 부담된 조세가 납세의무자의 부담이 되지 않고 다른 사람에게 이전되는 것을 말한다. •22회 (O ¦ X)

44 조세 부과는 수요자와 공급자 모두에게 세금을 부담하게 하나, 상대적으로 가격탄력성이 낮은 쪽이 세금을 더 많이 부담하게 된다. •23회 (O ¦ X)

45 임대주택에 재산세를 부과하면 임대주택의 공급이 증가하고 임대료는 하락할 것이다. •28회 (O ¦ X)

46 수요곡선이 공급곡선에 비해 더 탄력적이면 수요자에 비해 공급자의 부담이 더 커진다. •26회 (O ¦ X)

47 양도소득세의 중과는 부동산 보유자로 하여금 매각을 뒤로 미루게 하는 동결효과(lock-in effect)를 발생시킬 수 있다. •31회 (O ¦ X)

정답 38 O   39 O   40 X (적용한다 → 적용하지 않는다)   41 X (후분양제도 → 선분양제도)   42 O   43 O   44 O
45 X (증가 → 감소, 하락 → 상승)   46 O   47 O

힘들 땐 잠시 네가 걸어온 길을 뒤돌아 봐라.
그 얼마나 보람있었던가.
잊지말라.
넌 이 세상 누구보다 아름다운 향기를 가진 꽃이다.

– 작자 미상

D A Y 04

| 최빈출 POINT　　68 화폐의 시간가치계산(자본환원계수)　　69 현금흐름(현금수지)의 측정
★★★　　　　　70 할인현금흐름(현금수지)분석법　　　73 비율분석법

POINT 58　　투자와 지렛대(leverage)효과　　　27회, 29회, 31회

↳ 에듀윌 1차 기본서 [부동산학개론] pp.288~292

투자의 개념	① 불확실한 미래의 수익을 기대하여 확실한 현재의 소비를 희생하는 행위 ② 불확실한 미래의 현금수입과 현재의 현금지출을 교환하는 행위	
투자의 3단계	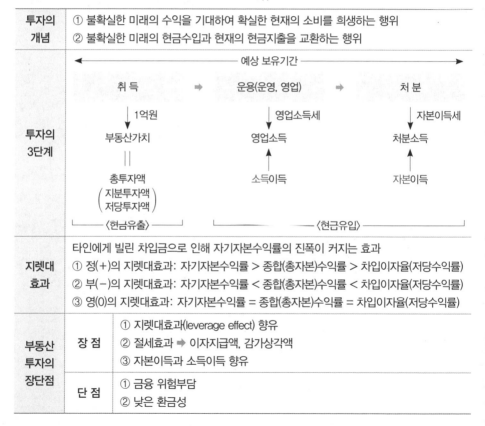	
지렛대 효과	타인에게 빌린 차입금으로 인해 자기자본수익률의 진폭이 커지는 효과 ① 정(+)의 지렛대효과: 자기자본수익률 > 종합(총자본)수익률 > 차입이자율(저당수익률) ② 부(−)의 지렛대효과: 자기자본수익률 < 종합(총자본)수익률 < 차입이자율(저당수익률) ③ 영(0)의 지렛대효과: 자기자본수익률 = 종합(총자본)수익률 = 차입이자율(저당수익률)	
부동산 투자의 장단점	장 점	① 지렛대효과(leverage effect) 향유 ② 절세효과 ➡ 이자지급액, 감가상각액 ③ 자본이득과 소득이득 향유
	단 점	① 금융 위험부담 ② 낮은 환금성

자기자본수익률, 재산 3분법

↳ 에듀윌 1차 기본서 [부동산학개론] pp.290, 296~297

1 자기자본수익률과 총자본수익률

자기자본수익률	$= \dfrac{지분수익}{지분투자액(자기자본)} \times 100(\%)$ $= \dfrac{총자본수익 - 이자지급액}{지분투자액} \times 100(\%)$
총자본수익률	$= \dfrac{총자본수익}{총투자액} \times 100(\%)$ $= \dfrac{소득이득 + 자본이득}{총투자액} \times 100(\%)$

2 재산 3분법

투자재산을 예금, 주식, 부동산으로 3분하여 관리하는 것

➡ 투자재산을 예금, 주식, 부동산으로 3등분하여 관리(×)

➡ 투자재산을 예금, 주식, 부동산으로 각각 1/3씩 관리(×)

구 분	예 금	주 식	부동산
안전성	유리	불리	유리
수익성	불리	유리	유리
환금성	유리	유리	불리

부동산투자의 위험과 수익의 측정

30회

└→ 에듀윌 1차 기본서 [부동산학개론] pp.297~300

위험의 개념	① 부동산투자에서 예상한 결과와 실현된 결과가 달라질 가능성 ② 기대수익률 ≠ 실현수익률 ⇒ 투자로부터 얻게 될 미래의 실현수익률이 기대수익률과 서로 달라질 가능성 ③ 기대수익률 = 실현수익률 ⇒ 무위험(수익)률
수익의 측정	① 기댓값: 각 상황이 발생할 경우 실현될 수 있는 값들을 평균한 것 $$기댓값 = \Sigma(각\ 상황이\ 발생할\ 경우\ 실현되는\ 값 \times 발생확률)$$ ② 기대수익률: 각 상황이 발생할 경우 실현될 수 있는 수익률들을 평균한 것 $$기대수익률 = \Sigma(각\ 경제상황별\ 추정수익률 \times 발생확률)$$
위험의 측정	① 의의: 투자의 위험은 투자로부터 예상되는 수익률의 분산도로 측정함 ② 분산과 표준편차: 투자자산의 위험 정도를 나타내는 척도 　㉠ 표준편차 ⇒ 분산의 제곱근 $$분산 = \Sigma[(각\ 경제상황별\ 추정수익률 - 기대수익률)^2 \times 발생확률]$$ 　㉡ 표준편차 값이 클수록 변동성이 심하므로 위험이 크고, 표준편차 값이 작을수록 　　위험이 작음 ③ 변이계수: 표준편차의 기대수익률에 대한 상대적 크기를 나타내는 척도 　⇒ 기대수익률 한 단위당 위험도 $$변이계수 = \frac{표준편차}{기대수익률} \times 100(\%)$$

부동산투자의 위험유형

↳ 에듀윌 1차 기본서 [부동산학개론] pp.300~301

사업상 위험	의 의	부동산업 자체에서 연유하는 수익성에 관한 위험
	시장 위험	부동산의 수요와 공급의 변동 등과 같은 시장상황의 변동으로 야기되는 위험
	운영 위험	사무실의 관리, 근로자의 파업, 영업경비의 변동 등 부동산의 운영과 관련하여 야기되는 위험
	위치적 위험	부동산 위치의 고정성으로 인해 사업상 안게 되는 위험
금융적 위험		부채를 사용하여 투자하면 지렛대효과를 향유하지만 파산의 위험도 커지는 것을 말함 ➡ 투자금액을 모두 자기자본으로 조달할 경우, 금융적 위험을 제거할 수 있음
법적 위험		부동산에 가지는 재산권의 법적 환경변화에 따른 위험
인플레이션 위험		투자기간 동안의 전반적인 물가상승으로 인해 발생하는 구매력의 하락 위험
유동성 위험		투자부동산을 현금으로 전환하는 과정에서 발생하는 시장가치의 손실가능성

부동산투자의 수익률

27회

↳ 에듀윌 1차 기본서 [부동산학개론] pp.301~303

1 수익률의 의의

$$수익률 = \frac{순수익}{투하자본} \times 100(\%)$$

2 수익률의 종류

요구 수익률	투자에 대한 위험이 주어졌을 때 투자자가 대상부동산에 투자를 결정하기 위해 보장되어야 할 최소한의 수익률 (= 필수수익률 · 외부수익률 · 투자의 기회비용)	사전 수익률
기대 수익률	투자대상으로부터 투자로 인해 기대되는 예상수익률 (= 내부수익률)	
실현 수익률	투자가 이루어지고 난 후에 실제로 실현된 수익률 (= 실제수익률 · 역사적 수익률)	사후 수익률

3 기대수익률과 요구수익률의 관계

기대수익률 > 요구수익률	투자↑ ➡ 대상부동산 가치↑ ➡ 기대수익률↓
기대수익률 = 요구수익률	균형투자량
기대수익률 < 요구수익률	투자↓ ➡ 대상부동산 가치↓ ➡ 기대수익률↑

4 가치

투자 가치	① 부동산을 소유함으로써 예상되는 미래의 편익이 부동산투자자에게 주는 현재가치 ② 대상부동산이 특정 투자자에게 부여하는 주관적 가치
시장 가치	① 부동산이 시장에서 매매되었을 때 형성될 수 있는 가치 ② 대상부동산이 시장에서 가지는 객관적 가치
투자 여부	투자가치 ≥ 시장가치 ➡ 투자 채택 투자가치 < 시장가치 ➡ 투자 기각

POINT 63 부동산투자의 위험과 수익의 관계 29회

↳ 에듀윌 1차 기본서 [부동산학개론] pp.303~306

1 투자자의 위험에 대한 태도

① 기대수익률이 동일할 경우, 투자자들은 덜 위험한 투자대안을 선택 ➡ 위험회피적
② 위험회피적인 투자자라도 피할 수 없는 위험이나 감수할 만한 유인책이 있는 위험은 감수할 수 있음

2 위험회피형 투자자

보수적 투자자	동일한 위험증가에 대해 더 높은 수익률을 요구 (∵ 공격적인 투자자보다 위험의 회피도가 높기 때문)
공격적 투자자	동일한 위험증가에 대해 더 낮은 수익률을 요구 (∵ 보수적인 투자자보다 위험의 회피도가 낮기 때문)

③ 위험-수익 상쇄관계

요구수익률 = 무위험률(➡ 위험이 전혀 없는 경우)
= 무위험률 + 위험할증률(➡ 위험조정률)
= 무위험률 + 위험할증률 + 예상 인플레이션율[➡ 피셔(fisher)효과]

➡ 부담하는 위험(체계적 위험)이 크면 클수록 요구하는 수익률도 커짐

➕ 무위험률과 위험할증률

1. 무위험률: 현재의 소비를 희생한 대가 ➡ 시간에 대한 비용
2. 위험할증률: 불확실성에 대한 대가 ➡ 위험에 대한 비용(=위험보상률, 위험대가율)

④ 투자가치

$$부동산의\ 투자가치 = \frac{(투자에\ 대한\ 예상)\ 순수익}{요구수익률}$$

부동산투자의 위험 관리·처리방법

↳ 에듀윌 1차 기본서 [부동산학개론] pp.306~308

1 위험 관리 방법

위험 전가	잠재적 손실의 발생빈도나 결과의 강도에는 영향을 주지 않고 경제적 부담과 책임을 제3의 계약자나 보험회사에 넘기는 방법 ⑨ 물가상승률만큼 임대료를 조정하는 임대차계약, 하청계약, 리스계약, 보험, 이자율 스왑(swap)
위험 보유	위험으로 인한 장래의 손실을 스스로 부담하는 방법 ⑨ 불량부채액(임차인의 채무불이행)이나 외부적 감가상각요인을 감안하여 준비금이나 충당금(充當金)을 설정하는 방법
위험 회피	가장 기본적인 위험에 대한 대비수단으로서 손실의 가능성을 원천적으로 회피해 버리는 방법 ⑨ 위험한 투자를 제외시키는 방법
위험 통제	손실의 발생횟수나 발생규모를 줄이려는 방법 ⑨ 민감도 분석, 보수적 예측방법, 위험조정할인율의 사용, 평균-분산지배원리, 포트폴리오의 구성

2 위험 처리 방법

위험한 투자 제외	정부채권이나 정기예금에 투자 ➡ 위험 회피
보수적 예측	투자수익을 가능한 한 낮게 추계하고, 이를 기준으로 투자를 결정 ➡ 기대수익률을 하향조정하는 방법
위험조정할인율 사용	높은 위험이 존재하는 투자안일수록 높은 위험조정할인율을 적용하여 할인 ➡ 요구수익률을 상향조정하는 방법

포트폴리오 이론 ▶

↳ 에듀윌 1차 기본서 [부동산학개론] pp.309~315

의 의		① 분산투자 ② 위험(비체계적 위험)의 제거 ③ 안정된 수익(편익)
포트폴리오의 기대수익률	의 의	포트폴리오를 구성하는 개별자산들의 기대수익률을 구성비율로 가중평균한 것
	공 식	포트폴리오의 기대수익률 = Σ(개별자산의 기대수익률 × 개별자산의 구성비율)
	내 용	포트폴리오의 기대수익률은 포트폴리오를 구성하는 개별자산의 기대수익률과 구성비율(weights)에 의해서만 결정되며, 개별자산들의 수익률 간의 상관 관계는 포트폴리오의 기대수익률에 영향을 미치지 않음
포트폴리오의 위험	키워드	① 분산투자 ② 비체계적 위험 ③ 구성자산 수 ④ 상관계수
	체계적 위험	전쟁의 발생이나 예상 밖의 높은 인플레이션의 발표 등과 같이 전체시장에 영향을 미치는 위험으로서, 모든 개별자산에 영향을 주는 '피할 수 없는 위험' ⑩ 경기변동, 인플레이션의 심화, 이자율 변동 등으로 인한 위험

	비체계적 위험	노사문제나 매출액 변동 등과 같이 특정 개별자산에 국한하여 영향을 미치는 위험으로서, 투자대상을 다양화하여 분산투자함으로써 해결할 수 있는 '피할 수 있는 위험'
	총위험	총위험 = 체계적 위험 + 비체계적 위험
포트폴리오의 위험분산효과		포트폴리오에 포함된 자산의 수가 늘어남에 따라 포트폴리오의 위험에 대한 개별자산위험의 영향력, 즉 비체계적 위험이 감소한다는 것이 위험분산효과의 본질
상관계수		① 의의: 두 개의 확률변수가 함께 움직이는 정도를 나타내는 척도 ➡ 상관계수는 언제나 −1에서 +1까지의 값만을 가짐 ② 상관계수가 +1의 값을 가지는 경우 ➡ 포트폴리오를 구성하는 두 자산의 수익률이 동일한 방향과 크기로 움직이는 것을 의미 ③ 상관계수가 −1의 값을 가지는 경우 ➡ 포트폴리오를 구성하는 두 자산의 수익률이 서로 반대 방향과 크기로 움직이는 것을 의미 ④ 포트폴리오를 구성한다고 하더라도 상관계수가 +1의 값을 갖는 경우는 비체계적 위험은 제거되지 않으며, −1의 값을 갖는 경우는 완전히 제거될 수도 있음 ⑤ 상관계수가 +1과 −1 사이의 값을 갖는 경우 ➡ 상관계수의 크기에 따라 제거 정도는 달라짐 ⑥ 상관계수가 +1의 값을 갖는 경우를 제외하면 구성자산의 수를 많이 하여 포트폴리오를 구성하면 비체계적 위험은 감소될 수 있음
정 리		포트폴리오 분석에서 상관계수가 +1의 값을 갖는 경우를 제외하면 포트폴리오에 편입되는 투자자산 수를 늘림으로써 비체계적 위험을 줄여나갈 수 있으며, 그 결과로 총위험은 줄어들게 됨

평균-분산지배원리(평균-분산결정법)

↳ 에듀윌 1차 기본서 [부동산학개론] pp.315~316

내용	① 두 투자안의 기대수익률이 동일하다면 ➡ 표준편차가 작은 투자안을 선택 ② 두 투자안의 표준편차가 동일하다면 ➡ 기대수익률이 큰 투자안을 선택 ③ 위 ①, ②의 원리에 입각하여 선택되는 투자안을 효율적 투자대상 또는 효율적 포트폴리오라고 함

투자안의 선택	투자대상	기대수익률(%)	표준편차(%)
	(가)	0.1	0.25
	(나)	0.1	0.30
	(다)	0.2	0.40
	(라)	0.4	0.40

(가), (라) ➡ 효율적 투자대상 또는 효율적 포트폴리오

한계점	기대수익률도 크고 표준편차도 큰 대안과 기대수익률도 작고 표준편차도 작은 대안은 비교 불가
극복방안	① 변이계수 ② 포트폴리오기법

최적 포트폴리오의 선택

↳ 에듀윌 1차 기본서 [부동산학개론] pp.316~319

의의	최적 포트폴리오는 효율적 프론티어(또는 효율적 투자선, 효율적 전선)와 투자자의 무차별곡선이 접하는 점에서 결정됨
효율적 프론티어	① 효율적 투자선, 효율적 전선이라고도 함 ② 동일한 위험에서 최고의 기대수익률을 나타내는 포트폴리오를 연결한 곡선

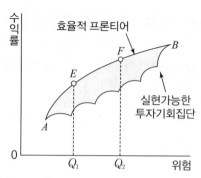

③ 효율적 프론티어가 우상향하는 경우 주어진 위험에서 투자자가 더 이상의 수익률을 얻을 수 없기 때문에, 더 높은 수익률을 얻기 위해서는 더 많은 위험을 감수해야 한다는 것을 의미함

최적 포트폴리오의 선택	① 투자자들의 위험에 대한 태도는 무차별곡선으로 표시되는데, 무차별곡선이 아래로 볼록한(convex) 우상향의 형태를 갖는 것은 투자자가 위험회피적이라는 의미임 ② 투자자가 위험을 회피할수록 위험(표준편차, X축)과 기대수익률(Y축)의 관계를 나타낸 투자자의 무차별곡선의 기울기는 급해짐 ③ 효율적 프론티어(또는 효율적 투자선, 효율적 전선)와 투자자의 무차별곡선이 접하는 점에서 최적 포트폴리오가 결정됨 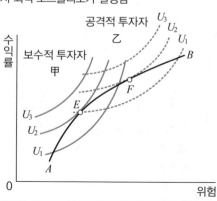

화폐의 시간가치계산(자본환원계수) 28회, 29회, 30회, 31회

↳ 에듀윌 1차 기본서 [부동산학개론] pp.321~327

① 화폐는 시간이 지남에 따라 그 가치가 달라지는 것이므로 현금흐름의 발생시점이 다를 경우 동일시점의 가치로 환산해야 비교가 가능함
② 화폐의 평가는 현시점에서 이루어지는 데 반해, 이로 인한 현금흐름은 미래에 발생하므로 서로 다른 시점의 현금흐름을 동일시점의 가치로 환산하는 것을 화폐의 시간가치계산이라고 함

미래가치의 계산			현재가치의 계산		
일시불의 내가계수 (복리 종가율)	개 념	1원을 이자율 r로 저금했을 때 n년 후에 찾게 되는 금액	**일시불의 현가계수 (복리 현가율)**	개 념	n년 후의 1원을 할인율 r로 할인하면 현재의 금액은 얼마인가를 나타내는 금액 ➡ 일시불의 내가계수의 역수
	공 식	$(1 + r)^n$		공 식	$\dfrac{1}{(1+r)^n} = (1+r)^{-n}$
	활 용	기간 초에 불입된 일시불에 대해서 일정기간 후 원리금의 합계를 구함		활 용	일정기간 후의 일시불이 현재 얼마의 가치를 가지고 있는가를 알아봄
연금의 내가계수 (복리연금 종가율)	개 념	매년 1원씩 받게 되는 연금을 이자율 r로 계속해서 적립했을 때 n년 후에 달성되는 금액	**연금의 현가계수 (복리연금 현가율)**	개 념	이자율이 r이고 기간이 n일 때, 매년 1원씩 n년 동안 받게 될 연금을 일시불로 환원한 액수
	공 식	$\dfrac{(1 + r)^n - 1}{r}$		공 식	$\dfrac{1 - (1 + r)^{-n}}{r}$
	활 용	매 기간마다 일정액을 불입했을 때 기간 말에 달성되는 누적액을 구함		활 용	일정기간 동안 매 기간마다 일정액을 지불받게 될 때 이것의 현재가치를 구함

감채기금 계수 (상환 기금률)	개 념	n년 후에 1원을 만들기 위해서 매 기간마다 적립해야 할 금액 ➡ 연금의 내가계수의 역수	저당상수 (연부 상환률)	개 념	이자율이 r이고 기간이 n일 때, 현재 1원을 대출받고 n년 동안 매년 지불해야 하는 금액 ➡ 연금의 현가계수의 역수
	공 식	$$\frac{r}{(1+r)^n - 1}$$		공 식	$$\frac{r}{1-(1+r)^{-n}}$$
	활 용	일정의 누적액을 기간 말에 만들기 위해서 매 기간마다 적립해야 할 액수를 구함		활 용	일정액을 빌렸을 때 매 기간마다 갚아야 할 원금과 이자의 합계를 구함

주어진 금액 × 자본환원계수 = 구하는 금액

저당대부액* × 저당상수** = 부채서비스액
(저당지불액)

부채서비스액
(저당지불액) × 연금의 현가계수 = 미상환저당잔금

*저당대부액 $= \dfrac{\text{부채서비스액}}{\text{저당상수}}$, **저당상수 $= \dfrac{\text{부채서비스액}}{\text{저당대부액}}$

현금흐름(현금수지)의 측정

↳ 에듀윌 1차 기본서 [부동산학개론] pp.330~337

취 득	운 영	처 분
1억원	운영소득	처분소득
↑		
부동산가치	〈영업 현금흐름의 계산〉	〈지분복귀액의 계산〉
현금유출의 현가합	현금유입의 현가합	

1 영업 현금흐름 계산

단위당 연간 예상임대료
× 임대단위 수
_____

가능총소득(PGI; Potential Gross Income)
− 공실 및 불량부채에 대한 충당금
+ 기타 소득
_____

유효총소득(EGI; Effective Gross Income)
− 영업경비(OE; Operating Expenses)
_____

순영업소득(NOI; Net Operating Income)
− 부채서비스액(DS; Debt Service)
_____

세전현금흐름(BTCF; Before−Tax Cash Flow)
− 영업소득세(TO; Taxes from Operation)
_____

세후현금흐름(ATCF; After−Tax Cash Flow)

➕ 영업경비 계산 시 불포함 항목

취득세, 공실·불량부채, 부채서비스액, 영업소득세, 감가상각비, 소유자급여, 개인업무비

2 지분복귀액 계산

매도가격(selling price)
− 매도경비(selling expense)
─────────────────────────
순매도액(net sales proceed)
− 미상환저당잔금(unpaid mortgage balance)
─────────────────────────
세전지분복귀액(before−tax equity reversion)
− 자본이득세(capital gain tax)
─────────────────────────
세후지분복귀액(after−tax equity reversion)

3 영업 현금흐름의 계산과 지분복귀액 계산의 비교

〈영업 현금흐름의 계산〉	〈지분복귀액 계산〉
단위당 예상임대료	
× 임대단위 수	
가능총소득	
− 공실 및 불량부채	
+ 기타 소득	
유효총소득	매도가격
− 영업경비	− 매도경비
순영업소득	순매도액
− 부채서비스액	− 미상환저당잔금
세전현금흐름	세전지분복귀액
− 영업소득세	− 자본이득세
세후현금흐름	세후지분복귀액

4 영업소득세 계산

순영업소득	세전현금흐름
+ 대체충당금	+ 대체충당금
− 이자지급액	+ 원금상환액
− 감가상각액	− 감가상각액
과세소득	과세소득
× 세율	× 세율
영업소득세	영업소득세

POINT 70 **할인현금흐름(현금수지)분석법** ▶   28회, 29회, 30회, 31회

↳ 에듀윌 1차 기본서 [부동산학개론] pp.338~346

1 부동산투자분석의 기법

화폐의 시간가치를 고려한 투자분석기법	화폐의 시간가치를 고려하지 않은 투자분석기법
① 순현가법	① 승수법
② 내부수익률법	② 수익률법
③ 수익성 지수법	③ 비율분석법
④ 현가회수기간법	④ 단순회수기간법
	⑤ 평균회계이익률법

2 순현가법

의 의	① 순현가(NPV): 투자로부터 발생하는 미래의 모든 현금유입액을 적절한 자본비용으로 할인한 현재가치에서 현금유출의 현재가치를 공제한 금액 ② 순현가법: 순현가를 '0'과 비교하여 투자 결정을 하는 방법 ➡ 현금유입: 세후현금흐름, 재투자율: 요구수익률
순현가	$\begin{pmatrix} \text{운영소득의 현가} \\ \text{부동산 보유기간 동안} \\ \text{예상되는 매년의 세후} \\ \text{현금흐름의 현재가치} \end{pmatrix} + \begin{pmatrix} \text{처분소득의 현가} \\ \text{부동산의 처분 시에} \\ \text{예상되는 세후지분} \\ \text{복귀액의 현재가치} \end{pmatrix} - \text{지분투자액}$
투자안 결정	① 독립적인 투자안 순현가(NPV) ≥ 0 ➡ 투자 채택 순현가(NPV) < 0 ➡ 투자 기각 ② 상호 배타적인 투자안: 순현가가 '0'보다 큰 투자안들 중에서 순현가가 가장 높은 투자안을 최적 투자안으로 선택함
특 징	① 투자자들의 부(富)는 그 투자안의 순현가 크기만큼 증가 ② 순현가는 투자안의 모든 현금흐름을 사용 ③ 순현가는 화폐의 시간적 가치를 고려 ④ 순현가를 구할 때 할인율은 요구수익률을 사용 ➡ 따라서 순현가를 계산하기 위해서는 사전에 요구수익률이 결정되어야 함 ⑤ 동일한 현금흐름의 투자안이라도 요구수익률에 따라 순현가는 달라질 수 있음 ⑥ 순현가법에서는 가치의 가산원칙(value additivity)이 성립함
연평균 순현가	① 전체 순현가에 대한 연간복리평균을 의미함 ② 사업기간이 서로 다른 사업 간의 비교를 가능하게 함 연평균순현가 = 전체 순현가 × 저당상수 = 전체 순현가 ÷ 연금의 현가계수

3 내부수익률법

의 의	① 내부수익률(IRR): 예상된 현금유입의 현가합과 현금유출의 현가합을 서로 같게 만드는 할인율
	㉠ 순현가를 0으로 만드는 할인율
	㉡ 수익성 지수를 1로 만드는 할인율
	② 내부수익률법: 내부수익률과 요구수익률을 비교하여 투자결정을 하는 방법
	➡ 현금유입: 세후현금흐름, 재투자율: 내부수익률
투자안 결정	① 독립적인 투자안
	내부수익률 ≥ 요구수익률 ➡ 투자 채택
	내부수익률 < 요구수익률 ➡ 투자 기각
	② 상호 배타적인 투자안: 내부수익률이 요구수익률보다 큰 투자안들 중에서 내부수익률이 가장 높은 투자안을 최적 투자안으로 선택함
특 징	① 복수의 내부수익률
	㉠ 전통적 투자사업: 투자자금이 기간 초에 1회만 투입되는 사업
	㉡ 비전통적 투자사업: 투자기간 중에도 투자자금이 투입되는 사업, 복수의 내부수익률 존재
	② 내부수익률의 부재: 내부수익률의 값이 전혀 존재하지 않을 수 있음
	③ 가치의 가산원칙(value additivity)이 성립하지 않음

4 순현가법과 내부수익률법 비교

구 분	순현가법	내부수익률법
현금유입	세후소득	세후소득
재투자율	요구수익률로 재투자	내부수익률로 재투자
가치의 가산원칙	성립	불성립
부(富)의 극대화	부합	부합하지 못함
투자의 채택	순현가(NPV) $\geq$ 0	내부수익률(IRR) $\geq$ 요구수익률
투자판단의 준거	순현가법이 내부수익률법보다 투자판단의 준거로 선호됨	

5 수익성 지수법

의 의	① 수익성 지수(PI): 현금유입의 현가합을 현금유출의 현가합으로 나눈 비율 ➡ 편익−비용비율이라고도 함 $$수익성\ 지수 = \frac{현금유입의\ 현가합}{현금유출의\ 현가합}$$ ② 수익성 지수법: 수익성 지수를 '1'과 비교하여 투자결정을 하는 방법 ➡ 현금유입: 세후현금흐름, 재투자율: 요구수익률
투자안 결정	① 독립적인 투자안 수익성 지수 $\geq$ 1 ➡ 투자 채택 수익성 지수 < 1 ➡ 투자 기각 ② 상호 배타적인 투자안: 수익성 지수가 '1'보다 큰 투자안들 중에서 수익성 지수가 가장 큰 투자안을 최적 투자안으로 선택

POINT 71

할인현금흐름분석법과 어림셈법의 비교

↳ 에듀윌 1차 기본서 [부동산학개론] pp.349~350

구 분	할인현금흐름분석법	어림셈법
분석대상	대규모 부동산의 투자분석에 주로 사용	영업경비 및 수익의 발생이 안정적인 소규모 부동산의 투자분석에 주로 사용
현금흐름	투자기간 동안의 모든 현금흐름을 고려	처분 시의 매각수익을 고려하지 않으며, 보유기간 동안 발생하는 운영소득 중 첫해 소득만을 고려
시간가치	현재가치로 할인하여 화폐의 시간가치를 고려함	현재가치로 할인하지 않으므로 화폐의 시간가치를 고려하지 않음
장단점	논리적이고 정교하나 복잡함	이해하기 쉽고 간단함

POINT 72

어림셈법 – 승수법과 수익률법

29회

↳ 에듀윌 1차 기본서 [부동산학개론] pp.350~352

승수법 (승수 ➡ 작을수록 유리)		관 계	수익률법 (수익률 ➡ 클수록 유리)	
총소득승수	$\dfrac{총투자액}{총소득}$	역수 관계	비율분석법의 총자산회전율과 역수	
순소득승수	$\dfrac{총투자액}{순영업소득}$		종합자본환원율	$\dfrac{순영업소득}{총투자액}$
세전현금흐름승수	$\dfrac{지분투자액}{세전현금흐름}$		지분배당률	$\dfrac{세전현금흐름}{지분투자액}$
세후현금흐름승수	$\dfrac{지분투자액}{세후현금흐름}$		세후수익률	$\dfrac{세후현금흐름}{지분투자액}$

비율분석법

↳ 에듀윌 1차 기본서 [부동산학개론] pp.352~356

1 비율분석법

- 대부비율(융자비율, 저당비율, LTV) = $\dfrac{\text{융자액}}{\text{부동산가치}}$

- 부채비율 = $\dfrac{\text{타인자본(부채)}}{\text{자기자본(자본)}}$

- 총부채상환비율(소득 대비 부채비율, DTI) = $\dfrac{\text{연간 부채상환액}}{\text{연간 소득액}}$

➕ DTI & 신DTI & DSR

- DTI = $\dfrac{\text{신규 주택대출 원리금상환액 + 기타 대출 이자상환액}}{\text{연간 소득}}$

- 신DTI = $\dfrac{\text{모든 주택담보대출 원리금상환액 + 기타 대출 이자상환액}}{\text{연간 소득}}$

- DSR(총부채원리금상환비율, 총체적 상환능력비율) = $\dfrac{\text{모든 대출 원리금상환액}}{\text{연간 소득}}$

2 부채감당률

$$\text{부채감당률} = \dfrac{\text{순영업소득}}{\text{부채서비스액}}$$

3 채무불이행률

$$\text{채무불이행률} = \dfrac{\text{영업경비 + 부채서비스액}}{\text{유효총소득}}$$

135

4 총자산회전율

$$총자산회전율 = \frac{총소득}{부동산가치}$$

5 영업경비비율

$$영업경비비율 = \frac{영업경비}{(유효)총소득}$$

6 유동비율

$$유동비율 = \frac{유동자산}{유동부채}$$

| POINT 74 | 부동산금융의 개요 | 28회, 29회, 31회 |

↳ 에듀윌 1차 기본서 [부동산학개론] pp.361~366

1 금융과 부동산금융

금융	자금융통(➡ 자금조달행위) ➡ 화폐의 수요·공급에 의해 발생하는 화폐만의 독립적인 유통
부동산금융	부동산을 담보로 자금을 융통하는 것 ➡ 부동산과 관련된 자금조달행위 ➡ 부동산을 매입 또는 개발하기 위해 자금을 조달하는 행위

2 주택금융

의 의	주택의 구입, 개·보수, 건설 등 주택 관련 사업에 대한 자금의 대출과 관리 등을 포괄하는 특수금융	
구 분	**주택소비금융 ➡ 저당대부**	**주택개발금융 ➡ 건축대부**
	① 소비자금융 ② 일시불 대출 ③ 단계적 상환(분할상환) ④ 장기저리 ⑤ (반)영구적 저당	① 공급자금융 ② 단계적 대출 ③ 일시(불) 상환 ④ 단기고리 ⑤ 일시적(한시적) 저당

3 지분금융, 부채금융, 메자닌금융

지분금융	지분권을 판매하여 자기자본을 조달하는 것 ⑩ 부동산 신디케이트, 조인트벤처, 부동산투자회사(REITs), 공모에 의한 증자
부채금융	저당을 설정하거나 사채를 발행하여 타인자본을 조달하는 것 ⑩ 저당금융, 신탁금융, 자산유동화증권, 주택상환사채
메자닌금융	기업이 주식을 통한 자금조달이 어렵거나 담보나 신용이 없어 대출을 받기 어려울 때, 대출기관이 기업에 주식 관련 권리를 받고 무담보로 자금을 제공하는 금융기법 ⑩ 신주인수권부 사채(BW), 전환사채(CB) 등

4 부동산금융의 기능 및 원칙

기 능	① 주택거래의 활성화 ② 주택마련 자금 제공 ③ 주택자금 조성 ④ 경기조절의 기능 수행 ⑤ 국민의 주거안정에 기여
원 칙	① 자금의 확보 ② 대출금리의 책정 ③ 대출채권의 유동화 ④ 채권의 보전

저당의 의의 및 부동산금융의 기초개념

↳ 에듀윌 1차 기본서 [부동산학개론] pp.369~371

1 저당(mortgage)의 의의 및 종류

의 의	부동산을 담보로 필요한 자금을 조달하는 것 ➡ 차입자: 피저당권자, 대출자: 저당권자
종 류	① 전통적 저당: 위험↑ ➡ 이자율↑, 융자기간 짧음, 융자비율↓ ② 정부지원 저당: 위험↓ ➡ 이자율↓, 융자기간 깊, 융자비율↑

2 부동산금융의 용어 및 기초개념

융자비율	① 담보 부동산의 시장가치 대비 융자금의 비율 ② 융자의 비율이 높을수록 원리금상환의 부담이 커지므로 채무불이행(default)의 가능성도 높아지고 이자율도 상승함
융자원금	처음에 융자받은 금액
대출잔액 (저당잔금)	융자기간 중 상환되지 않은 융자원금의 부분
융자기간	① 차입자로 하여금 융자원금을 상환할 수 있도록 부여된 기간 ② 상업용 부동산이나 (후순위) 추가융자의 경우에는 위험도가 높아서 융자기간이 짧아지게 됨
융자상환	① 정기적 혹은 주기적인 원금의 상환을 의미 ② 상환기간이 길어질수록 매기의 상환금(월부금)은 적어짐 ③ 실제 융자상환은 만기까지 가는 경우가 드물며, 시장금리 조건에 따라서 조기상환이 이루어지는 경우가 많음
월부금	① 융자기간 중에 원금상환분과 이자의 합계로 매달 대출자에게 납입하는 금액 ② 부채서비스액, 저당지불액, 원리금상환액이라고도 함 　㉠ 월부금의 계산 ➡ 저당상수(원리금균등상환방식) 　㉡ 대출잔액(저당잔금)의 계산 ➡ 연금의 현가계수

이자율(금리)

↳ 에듀윌 1차 기본서 [부동산학개론] pp.371~373

의의	오늘의 소비를 포기하고 이를 미래로 미루는 데 대한 화폐의 시간선호가치를 나타냄 ➡ 대출잔액(저당잔금)에 대해 적용 이자 = 대출잔액(저당잔금) × 이자율
대출시점의 대출이자율	대출금리 = 기준금리 + 가산금리 　　　　　(지표)　　　(마진)
기준금리	코픽스(COFIX)나 CD금리 적용 ① 모든 차입자에게 동일하게 적용 ② CD금리는 단기코픽스로 대체되며, 기준금리로 단기코픽스(3개월물)가 사용됨 ③ 변동(변동금리)
가산금리	각 은행별 내부정책에 따라 결정됨 ① 차입자의 거래실적, 연체실적 등 개인의 신용도 등에 기초하여 다르게 적용 ② 대출자와 차입자 간의 약정에 의해 정해지면 고정됨(고정금리)
실질이자율 · 명목이자율	• 실질이자율 = 명목이자율 − (예상)인플레이션율 • 명목이자율 = 실질이자율 + (예상)인플레이션율

➕ 주택담보대출에서 고려해야 하는 대출승인기준(➡ 두 가지를 모두 충족시켜야 함)

• LTV에 의한 대출가능액 = 부동산가치 × LTV
• DTI에 의한 대출가능액 = 연간소득액 × DTI ÷ 저당상수

➡ 두 가지를 모두 충족시키기 위해서는 둘 중 작은 것에 의한 대출가능액이 최대 대출가능액이 됨

고정이자율저당, 변동이자율저당

└ 에듀윌 1차 기본서 [부동산학개론] pp.374~377

1 고정이자율저당

의 의	융자기간 동안 대출 시의 초기 이자율에 변동이 없는 고정된 명목이자율을 적용하는 융자제도
재융자	① 융자상환 도중에 시장이자율이 하락할 경우에는 기존의 융자를 조기에 상환하고 재융자를 할 가능성이 높아짐 ② 차입자들이 기존의 융자를 조기에 상환한다면 대출자는 조기상환위험(만기 전 변제위험)에 직면하게 됨 ③ 대출자는 차입자의 조기상환을 막기 위해 조기상환수수료(만기 전 변제벌금)를 부과함
대출잔액 (저당잔금) 할인 및 조기상환	① 시장이자율이 상승할 경우 차입자들은 기존의 대출을 그대로 유지하려고 함 ② 차입자들이 계속 기존의 대출을 유지하려고 한다면 대출자는 이자수익의 손해가 발생하는 이자율위험에 직면하게 될 수 있음 ③ 대출자는 차입자에게 대출잔액(저당잔금) 할인 등을 제안하여 조기상환을 유도함으로써 새로이 높은 이자율로 대출하려 함
특 징	① 융자기간 동안 대출 시 계약된 명목이자율이 고정(동일하게 적용)되기 때문에 예상치 못한 인플레이션이 발생하면 그만큼 대출자의 실질이자율은 하락하게 됨 ② 융자상환 도중에 시장이자율이 저당(계약)이자율보다 하락할 경우 차입자들은 기존의 융자를 조기에 상환하려고 할 것이며, 이 경우 대출자는 조기상환위험(만기 전 변제위험)에 직면하게 됨 ③ 인플레이션기에는 대출자가 불리하고 차입자는 유리함 ④ 디플레이션기에는 차입자의 조기상환이 없다면 대출자가 유리하고 차입자는 불리함 　➡ 그러나 일반적으로 차입자의 조기상환이 이루어지므로 대출자는 조기상환위험(만기 전 변제위험)에 직면하게 됨 ⑤ 차입자 입장에서는 원리금상환액을 사전에 예상할 수 있기 때문에 채무이행을 위한 가계예산의 편성이 용이하고, 대출자 입장에서도 시장상황에 따른 금리조정을 하지 않기 때문에 업무가 단순함

2 변동이자율저당

의 의	시장상황에 따라 이자율을 변동시켜 이자율변동위험의 전부 혹은 일부를 대출자로부터 차입자에게 전가시키기 위해 고안된 융자제도	
내 용	초기 이자율	변동이자율저당의 경우는 융자가 이루어진 이후라도 이자율 변동을 바로 반영할 수 있으므로 초기 이자율은 고정이자율저당보다는 낮은 것이 일반적
	이자율 조정주기	인플레이션기에 이자율의 조정주기가 짧을수록 이자율 변동의 위험을 차입자에게 신속하게 전가시킬 수 있으므로, 대출자들은 짧은 조정주기를 원하며 차입자들은 긴 조정주기를 원함
	월부금 상한	① 이자율 조정으로 이자율이 상승하게 되면 월부금은 늘어나게 되는데, 월부금이 갑자기 증가하면 차입자가 어려워지므로 월부금의 상한을 사전에 약정할 수 있음 ② 월부금의 상한으로 인하여 월부금이 이자도 감당하지 못할 정도로 적게 된 경우에는 그 차액만큼 대출잔액(저당잔금)이 증가하게 됨 ➡ 부(−)의 상환
	이자율 상한	융자약정서에 이자율의 변동범위에 대해 사전에 약정을 해두는 것을 이자율 상한이라고 함
특 징	① 융자기간 동안 시장상황의 변동에 따라 예상치 못한 인플레이션이 발생하면 그만큼 명목이자율이 변동하므로 대출자의 실질이자율은 불변 ➡ 따라서 예상치 못한 인플레이션이 발생하면 이자율변동위험은 대출자로부터 차입자에게 전가됨 ② 인플레이션기에 이자율 변동의 부담을 상당부분 차입자에게 전가시키게 되므로 채무불이행 위험도는 고정이자율저당에 비해서 커지게 됨 ③ 차입자의 경우 장래의 월부금을 사전에 정확히 알 수 없기 때문에 채무이행을 위한 가계예산의 작성이 어려움 ④ 대출자의 경우 장래의 시장조건을 합리적으로 예측하여 초기의 최적 융자조건을 도출해야 하는 어려움이 있음	

DAY 04 | 기출지문 CHECK

01 정(+)의 레버리지효과를 예상하고 투자했을 때 부채비율이 커질수록 경기변동이나 금리변동에 따른 투자위험이 감소한다. •20회 (O | X)

02 부(−)의 레버리지효과가 발생할 경우 부채비율을 낮추어서 정(+)의 레버리지효과로 전환할 수 있다. •27회 (O | X)

03 투자재원의 일부인 부채가 증가함에 따라 원금과 이자에 대한 채무불이행의 가능성이 높아지며, 금리 상승기에 추가적인 비용부담이 발생하는 경우는 금융위험에 해당한다. •29회 (O | X)

04 요구수익률은 해당 부동산에 투자해서 획득할 수 있는 최대한의 수익률이다. •27회 (O | X)

05 어떤 부동산에 대한 투자자의 요구수익률이 기대수익률보다 큰 경우 대상부동산에 대한 기대수익률도 점차 하락하게 된다. •21회 (O | X)

06 위험회피형 투자자 중에서 보수적인 투자자는 공격적인 투자자에 비해 위험이 높더라도 기대수익률이 높은 투자안을 선호한다. •20회 (O | X)

07 무위험률의 하락은 투자자의 요구수익률을 상승시키는 요인이다. •29회 (O | X)

08 부동산투자에서 보수적 예측방법은 투자수익의 추계치를 하향조정함으로써, 미래에 발생할 수 있는 위험을 상당수 제거할 수 있다는 가정에 근거를 두고 있다. •28회 (O | X)

정답 **01** X (감소 → 증가)   **02** X [부채비율을 낮춘다고 정(+)의 레버리지효과로 전환되지는 않는다]   **03** O   **04** X (요구 수익률은 해당 부동산에 투자하기 위해 요구되는 최소한의 수익률이다)   **05** X (하락 → 상승)   **06** X (보수적인 투자 자는 공격적인 투자자에 비해 → 공격적인 투자자는 보수적인 투자자에 비해)   **07** X (무위험률의 하락 → 무위험률의 상승)   **08** O

09 부동산투자에서 위험조정할인율을 적용하는 방법으로 장래 기대되는 소득을 현재가치로 환산하는 경우, 위험한 투자일수록 낮은 할인율을 적용한다. •28회 (O | X)

10 개별부동산의 특성으로 인한 체계적 위험은 포트폴리오의 구성을 통해 감소될 수 있다. •29회 (O | X)

11 체계적 위험은 지역별 또는 용도별로 다양하게 포트폴리오를 구성하면 피할 수 있다. •25회 (O | X)

12 투자자산 간의 상관계수가 1보다 작을 경우, 포트폴리오 구성을 통한 위험절감효과가 나타나지 않는다. •26회 (O | X)

13 부동산투자에서 평균분산결정법은 기대수익률의 평균과 분산을 이용하여 투자대안을 선택하는 방법이다. •28회 (O | X)

14 평균 – 분산지배원리에 따르면, A투자안과 B투자안의 기대수익률이 같은 경우, A투자안보다 B투자안의 기대수익률의 표준편차가 더 크다면 A투자안이 선호된다. •26회 (O | X)

15 부동산투자의 수익과 위험에서 평균 – 분산 지배원리로 투자 선택을 할 수 없을 때 변동계수(변이계수)를 활용하여 투자안의 우위를 판단할 수 있다. •29회 (O | X)

16 효율적 프론티어(efficient frontier)와 투자자의 무차별곡선이 접하는 지점에서 최적 포트폴리오가 결정된다. •26회 (O | X)

17 효율적 프론티어(효율적 전선)란 평균 – 분산지배원리에 의해 각각의 위험수준에서 최대의 기대수익률을 얻을 수 있는 포트폴리오의 집합을 말한다. •30회 (O | X)

정답 **09** X (낮은 → 높은) **10** X (체계적 위험 → 비체계적 위험) **11** X (체계적 위험 → 비체계적 위험) **12** X (1보다 작을 경우 → 1일 경우) **13** O **14** O **15** O **16** O **17** O

18 화폐의 시간가치계산에서는 원금에 대한 이자뿐만 아니라 이자에 대한 이자도 함께 계산하는 것은 단리방식이다. •29회 (O ¦ X)

19 5년 후 주택구입에 필요한 자금 3억원을 모으기 위해 매월 말 불입해야 하는 적금액을 계산하려면, 3억원에 연금의 현재가치계수(월 기준)를 곱하여 구한다. •26회 (O ¦ X)

20 은행으로부터 주택구입자금을 대출받은 가구가 매월 상환할 금액을 산정하는 경우 감채기금계수를 사용한다. •30회 (O ¦ X)

21 순영업소득의 산정과정에서 해당 부동산의 재산세는 차감하나 영업소득세는 차감하지 않는다. •27회 (O ¦ X)

22 순영업소득은 유효총소득에 각종 영업외수입을 더한 소득으로 부동산 운영을 통해 순수하게 귀속되는 영업소득이다. •28회 (O ¦ X)

23 할인현금흐름분석법(discounted cash flow analysis)은 장래 예상되는 현금수입과 지출을 현재가치로 할인하여 분석하는 방법이다. •28회 (O ¦ X)

24 내부수익률(IRR)은 투자로부터 발생하는 현재와 미래 현금흐름의 순현재가치를 1로 만드는 할인율을 말한다. •30회 (O ¦ X)

25 수익성 지수(PI)는 투자로 인해 발생하는 현금유입의 현가를 현금유출의 현가로 나눈 비율이다. •30회 (O ¦ X)

정답 18 X (단리방식 → 복리방식)　19 X (연금의 현재가치계수 → 감채기금계수)　20 X (감채기금계수 → 저당상수)
21 O　22 X (유효총소득에 각종 영업외수입을 더한 → 유효총소득에서 영업경비를 뺀)　23 O　24 X (1로 → 0으로)
25 O

26 순현가법과 내부수익률법에서는 투자판단기준을 위한 할인율로써 요구수익률을 사용한다. •28회

(O | X)

27 재투자율로 내부수익률법에서는 요구수익률을 사용하지만, 순현재가치법에서는 시장이자율을 사용한다. •29회

(O | X)

28 어림셈법 중 순소득승수법의 경우 승수값이 클수록 자본회수기간이 짧다. •23회 (O | X)

29 총소득승수(GIM)는 총투자액을 세후현금흐름(ATCF)으로 나눈 값이다. •24회 (O | X)

30 부채감당률(DCR)이 1보다 작으면 차입자의 원리금 지불능력이 충분하다. •24회 (O | X)

31 담보인정비율(LTV)을 통해서 투자자가 재무레버리지를 얼마나 활용하고 있는지를 평가할 수 있다.
•26회

(O | X)

32 채무불이행률은 유효총소득이 영업경비와 부채서비스액을 감당할 수 있는 능력이 있는지를 측정하는 비율이며, 채무불이행률을 손익분기율이라고도 한다. •28회

(O | X)

33 부동산금융은 부동산을 운용대상으로 하여 필요한 자금을 조달하는 일련의 과정이라 할 수 있다.
•26회

(O | X)

34 부동산투자회사(REITs)는 자금조달 방법 중 지분금융(equity financing)에 해당한다. •29회 (O | X)

---

26 X (투자판단기준을 위한 할인율로써 순현가법은 요구수익률을 사용하지만 내부수익률법에서는 내부수익률을 사용한다)　**27** X (내부수익률법에서는 내부수익률을 사용하지만, 순현재가치법에서는 요구수익률을 사용한다)　**28** X (짧다 → 길다)　**29** X [세후현금흐름(ATCF) → 총소득]　**30** X (1보다 작으면 → 1보다 크면)　**31** O　**32** O　**33** O　**34** O

35 부동산투자회사(REITs)와 조인트벤처(joint venture)는 자금조달방법 중 지분금융에 해당한다. •28회

(O ¦ X)

36 다른 대출조건이 동일한 경우, 통상적으로 고정금리 주택저당대출의 금리는 변동금리 주택저당대출의 금리보다 낮다. •25회

(O ¦ X)

37 변동금리부 주택담보대출 이자율의 조정주기가 짧을수록 이자율변동의 위험은 차입자에서 대출자로 전가된다. •21회

(O ¦ X)

35 O   36 X (낮다 → 높다)   37 X (차입자에서 대출자 → 대출자에서 차입자)

D A Y
05

| 최빈출 POINT   78 저당의 상환방법 – 금리고정식 저당대부방법
★★★

POINT 78

저당의 상환방법 – 금리고정식 저당대부방법 ▶

27회, 28회, 29회, 31회

↳ 에듀윌 1차 기본서 [부동산학개론] pp.377~381

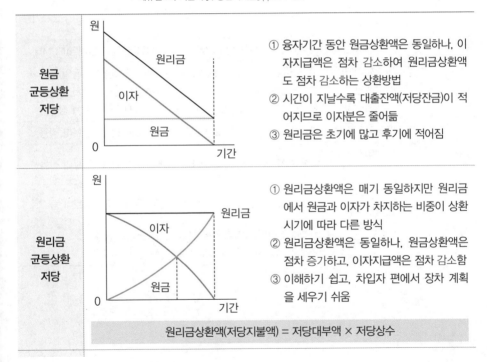

원금 균등상환 저당	(그래프: 원, 원리금, 이자, 원금, 0, 기간)	① 융자기간 동안 원금상환액은 동일하나, 이 자지급액은 점차 감소하여 원리금상환액 도 점차 감소하는 상환방법 ② 시간이 지날수록 대출잔액(저당잔금)이 적 어지므로 이자분은 줄어듦 ③ 원리금은 초기에 많고 후기에 적어짐
원리금 균등상환 저당	(그래프: 원, 원리금, 이자, 원금, 0, 기간)	① 원리금상환액은 매기 동일하지만 원리금 에서 원금과 이자가 차지하는 비중이 상환 시기에 따라 다른 방식 ② 원리금상환액은 동일하나, 원금상환액은 점차 증가하고, 이자지급액은 점차 감소함 ③ 이해하기 쉽고, 차입자 편에서 장차 계획 을 세우기 쉬움

원리금상환액(저당지불액) = 저당대부액 × 저당상수

147

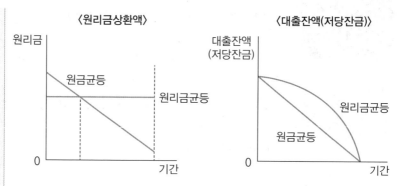

구 분	원금균등상환저당(CAM)	원리금균등상환저당(CPM)
융자기간 동안 상환방식	① 원리금상환액은 점차 감소 ② 원금상환액은 동일 ③ 이자지급액은 점차 감소	① 원리금상환액은 동일 ② 원금상환액은 점차 증가 ③ 이자지급액은 점차 감소
원리금상환액	대출 초기 원리금균등보다 큼	대출 초기 원금균등보다 작음
차입자의 원금상환부담	대출 초기 원리금균등보다 큼	대출 초기 원금균등보다 작음
대출자의 원금회수위험	대출 초기 원리금균등보다 작음	대출 초기 원금균등보다 큼
공통점	① 대출조건이 동일할 경우 첫회 이자지급액은 동일 ② 기간이 지날수록 이자지급액은 점차 감소	

비 교

	① 상환 첫 회 원리금상환액은 원금균등상환방식이 원리금균등상환방식보다 큼
	② 대출자 입장에서는 차입자에게 원리금균등상환방식보다 원금균등상환방식으로 대출해 주는 것이 원금회수 측면에서 보다 안전함
	③ 원리금균등상환방식은 원금균등상환방식에 비해 초기 원리금에서 이자가 차지하는 비중이 큼
	④ 차입자가 대출액을 중도상환할 경우, 원금균등상환방식은 원리금균등상환방식보다 대출잔액이 적음
	⑤ 원금균등상환방식은 원리금균등상환방식에 비해 전체 대출기간 만료 시 누적원리금상환액이 더 적음
체증식 융자금상환 저당	① 초기에는 지불금이 낮은 수준이나, 차입자의 수입이 증가함에 따라 지불금도 점진적으로 증가하는 방식 ② 디플레이션기에 채무불이행 가능성이 큼 ③ 대출 초기에 상환액이 적기 때문에 이자도 상환하지 못하는 경우가 발생하기도 함 　➡ 부(-)의 상환이 나타남 ④ 미래의 소득증가가 예상되는 젊은 저소득자에게 유리 ⑤ 주택의 보유예정기간이 짧은 경우에 유리

저당의 상환방법 – 금리조정식, 가격수준조정저당방법

↳ 에듀윌 1차 기본서 [부동산학개론] pp.381~383

금리조정식 저당대부	가변이자율 저당	① 이자율 변동의 위험을 차입자에게 전가시키기 위해 고안된 융자제도 ② 대출 초기 금리는 고정금리보다 낮은 것이 일 반적	이자율조정을 통해 인플레이 션 대처
	조정이자율 저당	① 이자율을 변화시켜 인플레이션의 위험에 대처 한다는 점에서 가변이자율저당과 비슷 ② 대출자에게 보다 더 많은 재량권 부여	
	재협정(상)률 저당	일정기간(3~5년)마다 이자율이 대출자와 차입자 간의 재협상을 통해 결정되는 방법	
가격수준조정 저당방법		① 저당잔금액(대출잔액)을 예상된 인플레이션율에 따라 정기적으 로 조정하는 방법 ② 매년 적용되는 이자율은 실질이자율을 적용	저당잔금조정 을 통해 인플레 이션 대처

부동산금융의 동원방법 27회, 29회

↳ 에듀윌 1차 기본서 [부동산학개론] pp.385~389

1 부동산 신디케이션(syndication, 투자자의 합동조합)

의 의	여러 명의 투자자가 부동산 전문가의 경험을 동원하여 공동의 부동산 프로젝트를 수행하 는 것 ① 개발업자 투자자가 회사(법인) 형태로 조직 ➡ 부동산 신디케이트 ② 지분금융방식
특 징	① 투자자: 유한책임 ➡ 투자한도 내에서 책임, 출자비율에 따라 배당 ② 개발업자: 무한책임 ➡ 관리·운영의 책임 ③ 당초의 사업계획을 완성하면 자동적으로 해산함

2 조인트벤처(joint venture)

의 의	특정 목적을 달성하기 위해 공동으로 사업을 전개하는 조직체로서의 공동벤처회사
	① 소수의 개인이나 기관투자자
	② 지분금융방식(∵ 대출기관이 저당투자자가 아닌 지분파트너로 참여하기 때문)
특 징	부동산개발업자가 대출기관과 조인트벤처를 구성하여 사업자금을 조달하는 방식

3 프로젝트 파이낸싱(project financing)

의 의	특정한 프로젝트로부터 미래에 발생하는 현금흐름을 담보로 하여 프로젝트를 수행하는 데 필요한 자금을 조달하는 금융기법
특 징	① 사업성이 담보[← 부동산담보(×)] 　➡ 프로젝트 자체로부터 발생하는 현금흐름을 근거로 필요자금을 조달함 ② 비소구금융(비상환청구금융) ➡ 제한적 소구금융 ③ 해당 프로젝트에서 발생하는 현금흐름에 의존 ④ 대규모 자금이 소요되고 공사기간이 장기인 사업 ⑤ 에스크로우 계정(escrow account)을 운영 ⑥ 자금지출 우선순위 ➡ 공사비가 시행사의 개발이익보다 먼저 인출되도록 함
장 점	① 이해당사자간에 위험배분이 가능 ② 사업주 입장에서 부외금융(簿外金融, off-balance)효과 ➡ 채무수용능력이 제고 ③ 금융기관은 높은 수익을 얻음 ④ 정보의 비대칭성 문제 감소 ⑤ 개발사업주와 개발사업의 현금흐름을 분리 ➡ 개발사업주의 파산이 개발사업에 영향을 미치지 않음
단 점	① 시간이 많이 소요됨 ② 사업 지연이 초래됨 ➡ 추가비용 발생

주택연금

↳ 에듀윌 1차 기본서 [부동산학개론] pp.391~397

이용 자격	가입가능 연령	주택소유자 또는 배우자가 만 55세 이상(근저당권 설정일 기준) ① 부부 공동으로 주택소유 시 연장자가 만 55세 이상 ② 확정기간 방식은 주택소유자 또는 배우자가 만 55세 이상인 자 중 연소자가 만 55세~만 74세
	주택 보유 수	① 부부 기준으로 공시가격 등이 9억원 이하의 1주택 소유자, 보유주택 합산 공시가격 등이 9억원 이하인 다주택자(공시가격 등이 9억원 초과 2주택자는 3년 이내 1주택 팔면 가능) ② 우대방식의 경우 부부 기준 1주택 소유자만 가입 가능
대상 주택		① 공시가격 등이 9억원 이하의 주택 및 지방자치단체에 신고된 노인복지주택 및 주거목적 오피스텔(상가 등 복합용도주택은 전체 면적 중 주택이 차지하는 면적이 1/2 이상인 경우 가입 가능) ② 확정기간방식은 노인복지주택 제외 ③ 우대방식의 경우 1억 5천만원 미만의 주택만 가입 가능
거주 요건		① 주택연금 가입주택을 가입자 또는 배우자가 실제 거주지로 이용하고 있어야 함 ② 해당 주택을 전세 또는 월세로 주고 있는 경우 가입 불가(단, 부부 중 한 명이 거주하며 보증금 없이 주택의 일부만을 월세로 주고 있는 경우 가입 가능)

적용 금리		대출 기준금리는 고객과 금융기관이 협의하여 다음 중 하나를 선택
		① CD금리(3개월 변동금리)
		② 신규취급액 COFIX 금리(6개월 변동금리)
		➕ 1. 적용금리는 '기준금리+가산금리'이며, 가산금리는 CD의 경우 1.1%, COFIX의 경우 0.85%
		    2. 이자는 매월 연금지급총액(대출잔액)에 가산되므로 가입자가 직접 현금으로 납부할 필요 없음
		    3. 가입 이후에는 대출 기준금리 변경 불가능

가입비 (초기 보증료) 및 연보증료	① 가입비(초기 보증료): 주택가격의 1.5%(대출상환방식의 경우 1.0%)를 최초 연금지급 　일에 납부 ② 연보증료: 보증잔액의 연 0.75%(대출상환방식의 경우 1.0%)를 매월 납부 ③ 보증료는 취급 금융기관이 가입자부담으로 공사에 납부하고 연금지급총액(대출잔액) 　에 가산됨	
보증 기한	① 소유자 및 배우자 사망 시까지 ② 단, 이용 도중에 이혼을 한 경우 이혼한 배우자, 이용 도중에 재혼을 한 경우 재혼한 　배우자는 주택연금을 받을 수 없음	
월지급금 지급방식	종신방식	월지급금을 종신토록 지급받는 방식 ① 종신지급방식: 인출한도 설정 없이 월지급금을 종신토록 지급받는 방식 ② 종신혼합방식: 인출한도(대출한도의 50% 이내) 설정 후 나머지 부분을 　월지급금으로 종신토록 지급받는 방식
	확정기간 방식	고객이 선택한 일정기간 동안만 월지급금을 지급받는 방식 ① 확정기간혼합방식: 수시인출한도 설정 후 나머지 부분을 월지급금으로 　일정기간 동안만 지급받는 방식 ② 확정기간방식은 반드시 대출한도의 5% 금액을 인출한도로 설정해야 함
	대출상환 방식	주택담보대출 상환용으로 인출한도(대출한도의 50% 초과 90% 이내) 범위 안에서 일시에 찾아 사용하고, 나머지 부분을 월지급금으로 종신토록 지급 받는 방식
	우대방식	부부 기준 1억 5천만원 미만 1주택 소유자가 종신방식(정액형)보다 월지급 금을 우대하여 지급받는 방식 ➕ 1. 주택보유: 부부 기준 1억 5천만원 미만 1주택 소유자 　2. 대상자격: 주택소유자 또는 배우자가 기초연금 수급자* 　　*기초연금법,상 기초연금 수급자 대상 연령: 만 65세 이상 ① 우대지급방식: 인출한도 설정 없이 우대받은 월지급금을 종신토록 지급 　받는 방식 ② 우대혼합방식: 인출한도 설정 후 나머지 부분을 우대받은 월지급금으로 　종신토록 지급받는 방식

월지급금 지급방식	우대방식	➕ 1. 이용기간 중 종신지급과 종신혼합 간, 우대지급과 우대혼합 간 지급방식 변경이 가능 2. 대출한도: 가입자가 100세까지 지급받을 연금대출액을 현재시점의 가치로 환산한 금액 3. 인출한도: 대출한도의 50% 이내(종신혼합방식, 확정기간혼합방식), 50% 초과 90% 이내(대출상환방식), 45% 이내(우대혼합방식)를 인출한도로 설정하여 목돈으로 사용 가능 4. 인출한도 용도: 의료비, 교육비, 주택수선비 및 주택담보대출 상환용도나 담보주택에 대한 임대차보증금 반환용도 등 5. 인출한도를 설정한 만큼 월지급금이 적어짐 6. 확정기간방식은 짧은 기간 동안 종신지급방식보다 더 많은 월지급금 수령 가능 7. 확정기간방식은 연금만 받는 경우에도 대출한도의 5%에 해당하는 금액을 반드시 인출한도로 설정해야 함
월지급금 지급유형	종신방식의 경우 정액형 또는 전후후박형 중 선택 가능하고, 확정기간방식, 대출상환방식, 우대방식은 정액형만 선택 가능 ① 정액형: 월지급금을 평생 동안 일정한 금액으로 고정하는 방식 ② 전후후박형: 초기 10년간은 정액형보다 많이 받다가 11년째부터는 초기 월지급금의 70% 수준으로 받는 방식	
담보의 제공	① 1순위 근저당권 설정 방식 외에 신탁 방식도 선택 가능 ② 제3자(자녀, 형제 등) 소유주택을 담보로 하는 주택연금은 이용할 수 없음	

	이용자 사망 후 주택 처분금액으로 일시상환 ① 채무부담한도(대출금 상환액)는 담보주택 처분가격범위 내로 한정 ② 대출금은 언제든지 별도의 중도상환수수료 없이 전액 또는 일부 정산 가능(다만, 초기 　보증료는 환급되지 않음)		
대출금 상환	상환시점	상환할 금액	비 고
	주택처분금액 > 연금지급총액	연금지급 총액	남는 부분은 채무자(상속인)에게 돌아감
	주택처분금액 < 연금지급총액	주택처분 금액	부족분에 대해 채무자(상속인)에 게 별도 청구 없음

자산유동화증권(ABS)

↳ 에듀윌 1차 기본서 [부동산학개론] pp.400~403

의 의	금융기관이나 기업 등이 보유하고 있는 대출 관련 자산을 특수목적회사(SPC)에 매각하여 그 자산을 바탕으로 발행하는 증권으로, 자산담보부증권(ABS; Asset Backed Securities)이라고도 함
부동산개발 PF ABS	Project Financing Asset Backed Securities, 부동산개발사업 자산유동화증권 ➡ 부동산개발업체의 개발사업에서 발생하는 수익 등을 기초자산으로 하여 발행되는 자산유동화증권을 말함
부동산개발 PF ABCP	Project Financing Asset Backed Commercial Paper, 자산담보부 기업어음 ① 의의: 유동화를 위해 설립된 유동화전문회사(SPC; Special Purpose Company, 특수목적회사)가 대출채권, 매출채권, 리스채권, 회사채 등 자산을 담보로 발행하는 기업어음(CP; Commercial Paper) ② 장 점 　㉠ 기업 입장: 장단기 금리 차이 때문에 ABCP는 기존 ABS의 조달금리보다 더 낮은 금리로 자금을 조달할 수 있어 자금조달비용을 줄일 수 있음 　㉡ 투자자 입장: 비교적 안정적인 자산을 근거로 발행되며 3개월 만기의 단기상품이므로 안정성과 유동성을 확보할 수 있음

주택저당증권(MBS; Mortgage Backed Securities)

↳ 에듀윌 1차 기본서 [부동산학개론] pp.404~406

의 의	저당대출기관이나 저당회사, 그 밖에 기관투자자 등이 그들이 설정하거나 매입한 저당을 담보로 하여 발행하는 증권 ➡ 여러 자산 중 주택저당 대출채권을 기초로 발행된 증권		
도입배경	① 정부에서는 주택금융 활성화를 위해 「자산유동화에 관한 법률」을 제정하여 ABS의 일환으로 주택저당채권 유동화제도를 도입 ② 2004년 3월 1일 「한국주택금융공사법」에 의해 설립된 한국주택금융공사(KHFC; Korea Housing Finance Corporation)가 주택신용보증기금과 한국주택저당채권유동화주식회사(KoMoCo)를 합병하여 출범함		
MBS 발행효과	주택 소비자 (차입자)	① 금융기관의 주택대출 여력 확대로 장기·저리의 주택자금 차입 가능 ② 초기자금 부담 없이 소자본으로 주택구입 가능 ③ 차입기회 확대
	주택금융 기관	① 장기간 묶여 있던 채권의 유동화로 대출 여력 확대 ② 대출채권 매각으로 자기자본비율(BIS) 제고 ③ 중·장기적 주택금융시장의 활성화
	투자자	① 적은 위험을 부담하면서 국제수준 이상의 수익률 보장 ② 기존 단기채권 상품에서 탈피하여 장기적으로 고정금리 확보 ③ 지급보증에 따른 안정적인 투자 가능
	국가정책	① 서민층의 내집마련 지원으로 주택보급률 확대 ② 주택에 대한 사고의 전환 유도(투자 ➡ 이용의 대상)

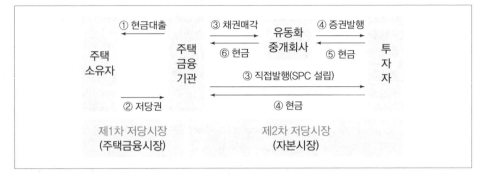

제1차 저당시장	① 저당대부를 원하는 수요자와 저당대부를 제공하는 금융기관으로 이루어지는 시장 ➡ 주택담보대출시장(주택자금 대출시장) ② 제1차 저당대출들은 설정된 저당을 자신들의 자산포트폴리오의 일부로 보유하기도 하고, 자금의 여유가 없을 경우에는 제2차 저당시장에 팔기도 함
제2차 저당시장	① 저당대출기관과 다른 기관투자들 사이에 저당을 사고파는 시장 ② 특별목적회사(SPC)를 통해 투자자로부터 자금을 조달하여 주택자금 대출기관에 공급해주는 시장 ➡ 주택자금 공급시장 ③ 제2차 시장에서 제1차 대출기관들은 자신들이 설정한 저당을 팔아 저당대부에 필요한 자금을 조달함 ④ 제2차 저당시장이 존재하지 않는다면 제1차 대출기관은 금방 자금이 부족해져서 저당대부를 할 수 없게 됨 ➡ 저당의 유동화에 기여하는 시장은 제2차 저당시장임 ⑤ 제2차 저당시장이 활성화되기 위해서는 주택대출상품과 대출심사기준을 표준화해야 함

POINT 85 **한국주택금융공사**

↳ 에듀윌 1차 기본서 [부동산학개론] pp.408~412

1 의 의

① 우리나라의 경우, 한국주택금융공사가 저당시장에서 유동화중개기관 및 제2차 대출기관의 역할을 수행함

② 한국주택금융공사에서는 금융기관으로부터 양수한 주택저당채권을 담보로 하여, 주택저당증권 및 주택저당채권담보부채권을 발행하여 투자자에게 판매함으로써 주택대출재원을 확충하는 역할을 함

2 업 무

① 보금자리론과 적격대출 공급

② 주택보증 공급: 전세자금대출 및 아파트중도금 대출에 대한 보증서 발급, 아파트 건설자금 대출에 대한 주택보증 지원

③ 주택연금 공급

④ 유동화증권(MBS, MBB)의 발행

주택저당증권(MBS)의 종류 ▶

↳ 에듀윌 1차 기본서 [부동산학개론] pp.413~416

1 지분형 MBS – MPTS(Mortgage Pass-Through Securities, 이체증권)

의 의	발생하는 원리금수취권과 주택저당채권집합물에 대한 소유권을 투자자에게 모두 매각하는 방식
특 징	① 저당차입자가 매기당 지불하는 원리금상환액 중에서 저당관리에 따른 비용을 공제하고 투자자에게 모두 지불 ② 발행자는 원리금수취권과 주택저당채권집합물에 대한 소유권을 투자자에게 모두 이전 ③ 이자율위험과 조기상환위험(만기 전 변제위험)을 투자자가 부담 ④ 위험이 투자자에게 이전되므로 초과담보 제공이 필요 없으며, 높은 위험에 따라 높은 수익이 제공됨 ⑤ 주택저당총액과 MPTS의 발행액이 같게 됨

2 채권형 MBS – MBB(Mortgage Backed Bond, 저당담보부채권)

의 의	원리금수취권과 주택저당채권집합물에 대한 소유권을 발행자가 가지면서, 저당대출을 담보로 하여 자신의 부채로 채권을 발행하여 자금을 조달하는 방식
특 징	① 원리금수취권과 주택저당채권집합물에 대한 소유권을 발행자가 보유 ② 이자율위험, 조기상환위험(만기 전 변제위험), 원리금납입연체위험(채무불이행위험 포함)을 발행자가 부담 ③ MBB의 투자자(매수자)가 발행자의 조기상환(만기 전 변제)에 대해 방어할 수 있는 콜방어(call protection)가 인정됨 ④ 발행자는 저당차입자로부터 받는 원리금상환액을 투자자에게 바로 이체하지 않고, 자신들이 발행한 MBB에 대해 새로운 원리금을 지불하므로 저당대출자와 MBB 투자자 간에 현금흐름이 바로 연결되지 않음 ⑤ 발행자의 신용으로 채권을 발행하기 때문에 위험이 발행자에게 집중되어 유통성이 떨어지며, 발행자는 투자의 안전성을 높이기 위해 초과담보를 확보하므로 MBB 발행액은 주택저당총액보다 적어짐

3 혼합형 MBS – MPTB(Mortgage Pay-Through Bond, 지불이체채권), CMO(Collateralized Mortgage Obligation, 다계층채권)

의 의	원리금수취권은 투자자에게 이체되지만, 주택저당채권집합물에 대한 소유권은 발행자가 갖는 방식	
MPTB	의 의	발행자가 주택저당채권집합물에 대한 소유권은 보유하고 투자자에게 원리금수취권을 이전하는 방식
	특 징	① MPTS와 MBB의 혼합형 ② 주택저당채권집합물에 대한 소유권은 발행자가 보유하고, 원리금수취권은 투자자에게 이전함 ③ 이자율위험과 조기상환위험(만기 전 변제위험)을 MPTB 투자자가 부담함 ④ 다른 조건이 같은 경우 MBB보다 작은 규모의 초과담보가 필요
CMO	의 의	저당채권의 집합을 담보로 하여 발행된 다계층의 채권으로, 위험을 분산하고 다양한 투자욕구를 충족하기 위해서 하나의 집합에서 만기와 이자율을 다양화한 여러 가지 종류의 채권을 발행
	특 징	① 발행자는 주택저당채권집합물에 대한 소유권을 갖고, 이를 담보로 다양한 채권을 발행 ② 조기상환위험은 증권소유자(투자자)가 부담함 ③ MPTS와 MBB의 두 가지 성질을 다 가지고 있음 ④ 다양한 만기구조를 갖고 만기구조별로 수익률이 다르며, 계층 선택에 따라 조기 상환위험도 달라짐 ⑤ 저당채권의 집합을 담보로 발행된 총금액을 몇 개 그룹으로 나누는데 이 그룹을 트랜치(tranche)라 하며, 트랜치별로 서로 다른 이자율이 적용되고 원금의 지급순서도 달라짐 ⑥ 고정이자율이 적용되는 트랜치가 있고, 유동이자율(floating rate)이 적용되는 트랜치도 있음 ⑦ 장기투자자들이 원하는 콜방어(call protection) 실현 가능

⊕ 주택저당증권의 특성 비교

구 분	MPTS	MBB	MPTB	CMO
유 형	증권	채권	채권	채권
트랜치 수	1	1	1	여러 개
주택저당채권집합물에 대한 소유권자	투자자	발행자	발행자	발행자
원리금수취권자	투자자	발행자	투자자	투자자
조기상환위험 부담자	투자자	발행자	투자자	투자자
콜방어	불가	가능	미약	장기트랜치 가능
초과담보	없음	큼	작음	작음

| POINT 87 | **부동산투자회사(REITs)** | 27회, 29회, 30회 |

└▸ 에듀윌 1차 기본서 [부동산학개론] pp.417~432

1 의의 및 종류

의 의	① 지분금융방식, 부동산에 대한 간접투자상품의 일종 ② 자산을 부동산에 투자하여 운용하는 것을 주된 목적으로 설립된 회사 ③ 주식발행을 통하여 다수의 투자자로부터 모은 자금을 부동산에 투자·운용하여 얻은 수익(부동산임대소득, 개발이득, 매매차익 등)을 투자자에게 배당하는 것을 목적으로 하는 주식회사
종 류	① 자기관리 부동산투자회사: 자산운용 전문인력을 포함한 임·직원을 상근으로 두고 자산의 투자·운용을 직접 수행하는 회사 ② 위탁관리 부동산투자회사: 자산의 투자·운용을 자산관리회사에 위탁하는 회사 ③ 기업구조조정 부동산투자회사: 「부동산투자회사법」에서 규정하는 부동산을 투자대상으로 하며, 자산의 투자·운용을 자산관리회사에 위탁하는 회사

2 개요

법인격	① 부동산투자회사는 주식회사로 함 ② 부동산투자회사는 「부동산투자회사법」에서 특별히 정한 경우를 제외하고는 「상법」의 적용을 받음 ③ 부동산투자회사는 그 상호 중에 '부동산투자회사'라는 명칭을 사용하여야 함
부동산 투자회사 설립	① 부동산투자회사는 발기설립의 방법으로 하여야 함 ② 부동산투자회사는 현물출자에 의해 설립할 수 없음
설립 자본금	① 자기관리 부동산투자회사의 설립 자본금은 5억원 이상으로 함 ② 위탁관리 부동산투자회사 및 기업구조조정 부동산투자회사의 설립 자본금은 3억원 이상으로 함
자기관리 부동산 투자회사의 설립보고	① 자기관리 부동산투자회사는 그 설립등기일부터 10일 이내에 대통령령으로 정하는 바에 따라 설립보고서를 작성하여 국토교통부장관에게 제출하여야 함 ② 자기관리 부동산투자회사는 설립등기일부터 6개월 이내에 국토교통부장관에게 영업인가를 신청하여야 함
등 록	① 위탁관리 부동산투자회사 및 기업구조조정 부동산투자회사가 「부동산투자회사법」에서 규정하는 업무를 하려면 대통령령으로 정하는 바에 따라 국토교통부장관에게 등록하여야 함 ② 등록을 하려는 자는 국토교통부장관에게 등록신청서 제출
영업인가 받은 부동산 투자회사의 최저자본금	영업인가를 받거나 등록을 한 날부터 6개월(최저자본금 준비기간)이 지난 부동산투자회사의 자본금은 다음에서 정한 금액 이상이 되어야 함 ① 자기관리 부동산투자회사: 70억원 ② 위탁관리 부동산투자회사, 기업구조조정 부동산투자회사: 50억원
위탁관리 부동산 투자회사의 지점설치 금지	위탁관리 부동산투자회사는 본점 외의 지점을 설치할 수 없으며, 직원을 고용하거나 상근 임원을 둘 수 없음

주식의 공모	① 부동산투자회사는 영업인가를 받거나 등록을 하기 전(총자산 중 부동산개발사업에 대한 투자비율이 100분의 30을 초과하는 부동산투자회사의 경우에는 그가 투자하는 부동산개발사업에 관하여 관계 법령에 따른 시행에 대한 인가·허가 등이 있기 전)까지는 발행하는 주식을 일반의 청약에 제공할 수 없음 ② 부동산투자회사는 영업인가를 받거나 등록을 한 날(총자산 중 부동산개발사업에 대한 투자비율이 100분의 30을 초과하는 부동산투자회사의 경우에는 그가 투자하는 부동산개발사업에 관하여 관계 법령에 따른 시행에 대한 인가·허가 등이 있은 날)부터 2년 이내에 발행하는 주식 총수의 100분의 30 이상을 일반의 청약에 제공하여야 함 ③ 부동산투자회사가 영업인가를 받거나 등록을 한 날부터 2년 이내에 국민연금공단이나 그 밖에 대통령령으로 정하는 주주가 단독이나 공동으로 인수 또는 매수한 주식의 합계가 부동산투자회사가 발행하는 주식 총수의 100분의 50 이상인 경우, 부동산투자회사의 총자산의 100분의 70 이상을 임대주택으로 구성하는 경우는 주식을 일반의 청약에 제공하지 아니할 수 있음
주식의 분산	주주 1인과 그 특별관계자는 최저자본금 준비기간이 끝난 후(총자산 중 부동산개발사업에 대한 투자비율이 100분의 30을 초과하는 부동산투자회사의 경우에는 부동산개발사업에 관하여 관계 법령에 따른 시행에 대한 인가·허가 등이 있은 날부터 6개월이 지난 후)에는 부동산투자회사가 발행한 주식 총수의 100분의 50(1인당 주식소유한도)을 초과하여 주식을 소유하지 못함
현물출자	① 부동산투자회사는 영업인가를 받거나 등록을 하고 최저자본금 이상을 갖추기 전에는 현물출자를 받는 방식으로 신주를 발행할 수 없음 ② 부동산투자회사의 영업인가 또는 등록 후에 「상법」에 따라 부동산투자회사에 현물출자를 하는 재산은 다음의 어느 하나에 해당하여야 함 ⑤ 부동산 ⓛ 지상권·임차권 등 부동산 사용에 관한 권리 ⓒ 신탁이 종료된 때에 신탁재산 전부가 수익자에게 귀속하는 부동산 신탁의 수익권 ⓔ 부동산소유권의 이전등기청구권 ⓜ 「공익사업을 위한 토지 등의 취득 및 보상에 관한 법률」에 따라 공익사업의 시행으로 조성한 토지로 보상을 받기로 결정된 권리(대토보상권이라 함)

자산의 투자·운용 방법	① 부동산투자회사는 자산을 다음의 어느 하나에 해당하는 방법으로 투자하여야 함 　㉠ 부동산 　㉡ 부동산개발사업 　㉢ 지상권, 임차권 등 부동산 사용에 관한 권리 　㉣ 신탁이 종료된 때에 신탁재산 전부가 수익자에게 귀속하는 부동산 신탁 수익권 　㉤ 증권, 채권 　㉥ 현금(금융기관의 예금을 포함) ② 부동산투자회사는 위 ①에 대하여 다음의 어느 하나에 해당하는 방법으로 투자· 　운용하여야 함 　㉠ 취득, 개발, 개량 및 처분 　㉡ 관리(시설운영을 포함), 임대차 및 전대차 　㉢ 부동산개발사업을 목적으로 하는 법인 등 대통령령으로 정하는 자에 대하여 　　부동산에 대한 담보권 설정 등 대통령령으로 정한 방법에 따른 대출, 예치
자산관리의 인가	자산관리회사를 설립하려는 자는 다음의 요건을 갖추어 국토교통부장관의 인가를 받아야 한다. ① 자기자본(자산총액에서 부채총액을 뺀 가액)이 70억원 이상일 것 ② 자산운용 전문인력을 대통령령으로 정하는 수 이상 상근으로 둘 것 ③ 자산관리회사와 투자자 간, 특정 투자자와 다른 투자자 간의 이해상충을 방지하기 　위한 체계와 대통령령으로 정하는 전산설비, 그 밖의 물적설비를 갖출 것
자산의 구성	부동산투자회사는 최저자본금준비기간이 끝난 후에는 매 분기 말 현재 총자산의 100분의 80 이상을 부동산, 부동산 관련 증권 및 현금으로 구성하여야 하고, 이 경우 총자산의 100분의 70 이상은 부동산(건축 중인 건축물을 포함)이어야 함
배 당	① 부동산투자회사는 「상법」에 따른 해당 연도 이익배당한도의 100분의 90 이상을 　주주에게 배당하여야 하고, 이 경우 이익준비금은 적립하지 않음 ② 위탁관리 부동산투자회사가 위 ①에 따라 이익을 배당할 때에는 이익을 초과하여 　배당할 수 있고, 이 경우 초과배당금의 기준은 해당 연도 감가상각비의 범위에서 　대통령령으로 정함

차입 및 사채의 발행	① 부동산투자회사는 영업인가를 받거나 등록을 한 후에 자산을 투자·운용하기 위하여 또는 기존 차입금 및 발행사채를 상환하기 위하여 대통령령으로 정하는 바에 따라 자금을 차입하거나 사채를 발행할 수 있음 ② 자금차입 및 사채발행은 자기자본의 2배를 초과할 수 없음. 다만, 주주총회의 특별결의가 있는 경우에는 그 합계가 자기자본의 10배를 넘지 아니하는 범위에서 자금차입 및 사채발행을 할 수 있음

POINT 88 토지이용의 집약도

↳ 에듀윌 1차 기본서 [부동산학개론] pp.439~440

의 의	토지이용에 있어 단위면적당 투입되는 노동과 자본의 양 $$토지이용의 집약도 = \frac{투입되는 노동과 자본의 양}{단위면적}$$	
집약적 토지이용	의 의	토지이용의 집약도가 높은 토지이용
	수확체감의 법칙 적용	건물의 고층화에도 적용
	집약한계	투입되는 한계비용이 산출되는 한계수입과 일치하는 데까지 추가투입되는 경우의 집약도 ➡ 이윤극대화를 가져오는 토지이용의 집약도
조방적 토지이용	의 의	토지이용의 집약도가 낮은 토지이용
	조방한계	최적의 조건하에서 겨우 생산비를 감당할 수 있는 수익밖에 얻을 수 없는 집약도 ➡ 총수입과 총비용이 일치하는 손익분기점

입지잉여	**의 의**	동일한 산업경영이라도 입지조건이 양호한 경우에 발생하는 이익
	발생요건	어떤 위치의 가치가 한계입지 이상이고, 또한 그 위치를 최유효이용할 수 있는 입지주체가 이용하는 경우라야 발생 ➡ 입지조건과 토지이용의 집약도가 같은 경우라도 입지잉여는 모든 입지주체에 똑같이 생기지 않음
	입지잉여와 입지조건	입지잉여는 입지조건이 나쁠수록 감소하고 좋을수록 증가
	한계입지	입지조건이 상대적으로 나쁜 곳으로, 초과수익을 전혀 기대할 수 없는 곳의 입지(입지잉여가 '0'이 되는 위치)

POINT 89   **부동산이용**

↳ 에듀윌 1차 기본서 [부동산학개론] pp.441~445

1 지가구배현상(地價勾配現象) – 토페카 연구

의 의	도시의 지가패턴은 도심이 가장 높고 도심에서 멀어질수록 점점 낮아지는데, 이와 같이 지가가 도심에서 도로를 따라 외곽으로 나갈수록 점점 낮아지는 현상
소도시	도심의 지가구조가 비교적 단순하고 도심의 토지이용이 보다 집약적이지만 교외로 나감에 따라서 급격하게 조방화되기 때문에, 지가수준도 도심에서는 치솟으나 도심에서 벗어나면 급격하게 저하되는 경향을 보임
대도시	도심에서 도시의 경계까지 직선적으로 가격수준이 저하되는 것이 아니라, 중간에 여러 도시핵이 있고 거기에는 다시 번화가도 있어서 지가수준도 다시 높아졌다가 저하되는 현상을 보임

2 직 · 주분리와 직 · 주접근

<table>
<tr>
<td rowspan="3">직
·
주
분
리</td>
<td>의 의</td>
<td colspan="2">직장을 도심에 두고 있는 근로자가 그 거처를 도심에서 멀리 두는 현상</td>
</tr>
<tr>
<td>원 인</td>
<td>① 도심의 지가 상승
③ 도심의 재개발(주택의 철거)</td>
<td>② 도심의 환경 악화
④ 교통의 발달</td>
</tr>
<tr>
<td>결 과</td>
<td colspan="2">① 인구의 시외곽 이주로 도심의 상주인구가 감소하면서 도심의 주 · 야간 인구 차가 커지는 공동화현상(도넛현상)이 나타남
② 외곽은 침상도시(寢牀都市, bed town)화됨
③ 도심고동(都心鼓動)의 비율이 커져 출퇴근 시 교통혼잡 발생
④ 외곽지역의 지가 상승</td>
</tr>
<tr>
<td rowspan="3">직
·
주
접
근</td>
<td>의 의</td>
<td colspan="2">직장과 주거지를 가급적 가까운 곳에 두려는 현상 ➡ 회귀(return)현상</td>
</tr>
<tr>
<td>원 인</td>
<td>① 도심의 상대적 지가 하락
③ 정책적으로 유도</td>
<td>② 도심의 환경 개선
④ 교통체증의 심화</td>
</tr>
<tr>
<td>결 과</td>
<td colspan="2">① 도심의 주거용 건물이 고층화됨
② 도시회춘화 현상</td>
</tr>
</table>

3 한계지의 지가법칙

<table>
<tr>
<td>의 의</td>
<td>특정의 지점과 시점을 기준으로 한 택지이용의 최원방권</td>
</tr>
<tr>
<td>특 징</td>
<td>① 한계지는 농경지 등의 용도전환으로 개발되는 것이 대부분이지만, 한계지의 지가 수준은 농경지 등의 지가수준과는 무관한 경우가 많음 ➡ 단절지가(斷絕地價)
② 한계지의 지가와 도심부의 지가는 상호 무관하지 않고, 각 한계지의 지가 상호간 에는 밀접한 대체관계가 성립함
③ 한계지는 철도와 같은 대중교통수단을 주축으로 하여 연장됨
④ 농경지가 택지화된 한계지는 초기에 지가의 상승이 빠름
⑤ 자가(自家)의 한계지는 차가(借家)의 한계지보다 더욱 택지이용의 원방권에 위치</td>
</tr>
</table>

4 침입적 토지이용

의 의	일정지역에서 기존의 이용주체가 새로운 인자(因子)의 침입으로 인해 새로운 이용주체로 변화하는 것
특 징	① 침입은 확대적 침입과 축소적 침입으로 구분되는데, 확대적 침입이 통상적임 ② 낮은 지가수준, 강한 흡인력 등은 침입활동을 유발하는 인자임 ③ 지가수준이 낮은 곳에 침입적 이용을 함으로써 지가수준을 끌어올릴 수 있음 ④ 주로 기존의 영세한 취락이나 지역에서 침입활동이 이루어지며, 때로는 원주민의 저항을 초래하기도 함 ⑤ 행정적 규제와의 관계도 고려하여야 함

5 도시스프롤(urban sprawl) 현상

의 의	도시의 성장·개발현상이 무질서·불규칙하게 평면적으로 확산되는 현상
원 인	개발도상국에서 도시계획이나 토지이용계획의 소홀
유 형	① 저밀도 연쇄개발현상 ② 고밀도 연쇄개발현상(우리나라) ③ 간선도로를 따라 스프롤이 전개되는 현상 ④ 개구리가 뛰는 것처럼 도시에서 중간중간에 상당한 공지를 남기면서 교외로 확산되는 현상 ➡ 비지적(飛地的) 현상
특 징	① 토지의 최유효이용에서 괴리됨으로써 일어나는 현상 ② 주거지역에서만 발생하는 것이 아니라 상업지역이나 공업지역에서도 발생함 ③ 대도시의 도심지보다는 외곽부에서 더욱 발생함 ④ 도시 외곽부의 팽창인 도시의 평면적 확산이며, 경우에 따라 입체 슬럼형태를 보임 ➡ 입체스프롤 ⑤ 스프롤 지대의 지가현상은 지역특성에 따라 다양하며, 예외적인 경우를 제외하면 지가수준은 표준 이하임

부동산개발의 의의 및 종류, 과정

↳ 에듀윌 1차 기본서 [부동산학개론] pp.445~448

1 부동산개발의 의의 및 종류

(1) 의 의

타인에게 공급할 목적으로 토지를 조성하거나 건축물을 건축하고 공작물을 설치하는 행위로, 조성 · 건축 · 대수선 · 리모델링 · 용도변경 또는 설치되거나 설치될 예정인 부동산을 공급하는 것
➡ 시공을 담당하는 행위는 제외됨

(2) 구 분

건축에 의한 개량	토지 위에 건물이나 다리와 같은 건조물을 세움으로써 토지의 유용성을 증가시키는 것 ➡ 공간 창조와 관계
조성에 의한 개량	정지(整地)작업, 도로공사, 배수공사, 수도의 설치 등과 같이 토지 자체를 개량하는 것

(3) 분 류

유형적 개발 (협의의 개발)	토지의 물리적인 변형을 초래하는 행위 ⑩ 건축 · 토목사업 · 공공사업 등
무형적 개발	토지의 물리적인 변형이 아닌 이용상태의 변경을 초래하는 행위 ⑩ 용도지역 · 지구의 지정 또는 변경, 농지전용 등
복합적 개발	토지의 유형 · 무형의 개발 행위가 동시에 이루어지는 경우 ⑩ 토지형질변경사업, 도시재개발사업, 도시개발사업 등

2 부동산개발의 과정

아이디어단계	모든 부동산개발은 구상으로부터 시작(구상단계)
예비적 타당성 분석단계	부동산개발에서 얻은 수익이 비용을 상회할 것인가를 조사(전실행가능성 분석단계)
부지구입단계	부지모색과 확보단계
타당성 분석단계	구체적·세부적인 형태의 실행가능성 분석(실행가능성 분석단계) ➡ 공법상 규제분석, 부지분석, 시장분석, 재정분석
금융단계	택지조성 및 건설자금의 융자 등을 고려하는 국면
건설단계	물리적인 공간을 창조하는 국면(택지조성)
마케팅단계	궁극적인 성공 여부의 결정단계(분양)

POINT 91	부동산개발의 위험분석	27회, 28회

└ 에듀윌 1차 기본서 [부동산학개론] pp.449~450

법률적 위험 부담	토지이용규제와 같은 공법적인 측면과 소유권 관계와 같은 사법적인 측면에서 발생할 수 있는 위험 ➡ 법률적 위험부담을 최소화하기 위한 방법은 이용계획이 확정된 토지를 구입하는 것
시장위험 부담	① 부동산시장의 불확실성으로 인한 개발업자의 부담 ② 개발사업의 완성이 가까울수록 시장위험은 줄어들고 가치는 증가함 ➡ 시장위험을 줄이기 위해 시장연구(market study)와 시장성 연구(marketability study)가 필요
비용위험 부담	개발기간이 예상보다 길어진다든지, 예상하지 못한 인플레이션이 발생한다든지 하여 비용부담이 증가하는 위험 ➡ 비용위험을 줄이기 위해서 최대가격 보증계약을 체결

부동산개발의 타당성 분석 – 부동산분석

↳ 에듀윌 1차 기본서 [부동산학개론] pp.451~457

1 부동산개발의 타당성 분석

지역경제분석	대상 지역의 부동산 수요에 영향을 미치는 인구, 고용, 소득 등의 요인을 분석
시장분석	특정 부동산에 대한 시장의 수요와 공급 상황 분석 ① 시장세분화: 부동산상품의 소비자를 유사한 특성의 소집단으로 구분하는 것 ② 시장차별화: 부동산상품을 특성에 따라 다른 상품과 구별하는 것
시장성 분석	개발될 부동산이 현재나 미래의 시장에서 매매되거나 임대될 수 있는 능력을 조사하는 것 ➡ 흡수율 분석
타당성 분석	개발사업에 투자자금을 끌어들일 수 있을 정도로 충분한 수익이 발생하는지 분석
투자분석	투자자의 목적, 다른 투자대안의 수익성 등을 검토하여 대상개발사업의 채택 여부를 결정하는 것

2 흡수(율) 분석

의 의	일정기간에 특정한 지역에 공급된 부동산이 얼마의 비율로 흡수되었는가를 분석하는 것
목 적	과거의 추세를 파악하는 것만이 아니라 개발사업의 미래의 흡수율을 파악하는 것이 목적
내 용	① 흡수율: 시장에 공급된 부동산이 단위시간 동안 시장에서 흡수된 비율 ② 흡수시간: 공급된 부동산이 시장에서 전량 흡수되는 데 걸린 시간 ➡ 흡수율이 높을수록, 흡수시간이 짧을수록 시장위험이 작음

3 시장분석

의의	특정 개발사업이 시장에서 채택될 수 있는가를 분석하는 것 ➡ 개발사업이 안고 있는 물리적·법률적·경제적·사회적 제약조건에 대한 분석도 포함됨	
목적	개발사업에 대한 투자결정을 하는 데 필요한 모든 정보를 제공하는 것이 목적	
역할	① 특정 용도에는 어떤 부지가 적합한가를 결정(용지 선정) ➡ 입지론 ② 주어진 부지는 어떤 용도에 적합한가를 결정(용도 선정) ➡ 적지론 ③ 주어진 자본을 투자할 대안을 찾고 있는 투자자를 위해 수행 ④ 기존의 개발사업에 대해서도 행해짐	
구성 요소	지역분석 (도시분석)	특정지역이 어떤 지역적 특성을 가지고 있는지 분석하는 것 ➡ 경제기반분석, 인구분석, 교통체계분석 등
	근린분석	개발대상 부동산이 속해 있는 지역이 어떤 지역적 특성을 가지고 있는지 분석하는 것 ➡ 근린지역 내의 경쟁, 미래의 경쟁가능성 등
	부지분석	개발대상 부지 자체를 분석하는 것 ➡ 접근성, 부지의 크기와 모양, 지형 등
	수요분석	개발사업에 대한 유효수요를 추계하기 위해 시장을 분석하는 것 ➡ 경쟁력, 흡수율분석, 공실률의 추세분석 등
	공급분석	기존의 공급과 미래에 예상되는 공급을 분석하는 것 ➡ 공실률 및 임대료 추세, 건축착공량과 건축허가 수

4 경제성 분석

개 념	시장분석에서 수집된 자료를 활용하여 개발사업에 대한 수익성을 평가하고, 최종적인 투자결정을 하는 것
내 용	① 개발사업에 소요되는 총비용 추계 ② 첫해의 세전현금흐름 추계 ③ 미래 세후현금흐름를 계산하고 이를 현재가치로 환원 ④ 분석결과를 순현가법 등을 적용하여 최종적인 투자 결정

POINT 93

개발권양도제(TDR)

└→ 에듀윌 1차 기본서 [부동산학개론] pp.462~464

1 의의 및 내용

의 의	개발권양도제(TDR; Transferable Development Rights) 또는 개발권이전제란 개발제한으로 인해 규제되는 보전지역(규제지역)에서 발생하는 토지소유자의 손실을 보전하기 위한 제도임. 현재 우리나라에서는 미시행
내 용	① ┌ 도심지의 역사적 유물 보존 　　└ 생태계의 희소자원 보전 　　➡ 토지이용규제의 한 방법으로 이용 ② 일종의 공중권의 활용 방안 ③ 개발권과 소유권을 분리함 ④ 토지소유자의 재산상의 손실을 시장을 통해서 해결 ➡ 공적자금 투입(×)

2 장점 및 단점

장 점	① 형평성의 문제를 어느 정도 보완 ② 생태환경보전에 효과적
단 점	① 형평성 문제를 완전하게 해소하기 어려움 ② 토지이용 효율상의 문제가 발생

POINT 94   **민간의 부동산개발방식**   27회, 29회

↳ 에듀윌 1차 기본서 [부동산학개론] pp.468~471

1 사업방식

자체개발 사업	① 토지소유자가 사업기획을 하고 직접 자금을 조달하여 건설을 시행하는 방식 ② 장점: 개발사업의 이익이 모두 토지소유자에게 귀속되고, 사업시행자의 의도대로 사업추진이 가능하며, 사업시행의 속도가 빠름 ③ 단점: 사업의 위험성이 매우 높고, 자금조달의 부담이 크며, 위기관리능력이 요구됨
지주공동 사업	① 토지소유자는 토지를 제공하고 개발업자는 개발의 노하우를 제공하여 서로의 이 익을 추구하는 형태 ② 불확실하고 위험도가 큰 부동산개발사업에 대한 위험을 지주와 개발업자 간에 분 산할 수 있다는 장점이 있음 ③ 공사비 대물변제형, 분양금 공사비 지급형, 사업위탁형 등이 있음
토지신탁 (개발)방식	① 토지소유자로부터 형식적인 소유권을 이전받은 신탁회사가 토지를 개발·관리· 처분하여 그 수익을 수익자에게 돌려주는 방식 ② 사업위탁방식과 유사하나, 가장 큰 차이점은 신탁회사에 형식상의 소유권이 이전 된다는 것

컨소시엄 구성방식	① 대규모 개발사업에 있어서 사업자금의 조달 또는 상호 기술보완 등의 필요에 의해 법인 간에 컨소시엄을 구성하여 사업을 수행하는 방식 ② 장점: 사업의 안정성이 확보됨 ③ 단점: 사업시행에 시간이 오래 걸리고, 출자회사 간 상호 이해조정이 필요하며, 책임의 회피현상이 있을 수 있음		

2 사업주체

구 분	자체개발 사업	지주공동사업				토지 신탁형	컨소시엄 구성방식
		공사비 대물변제형	분양금 공사비 지급형	투자자 모집형	사업위탁 (사업제안)형		
토지소유	토지 소유자	토지소유자	토지소유자	사업시행자	토지소유자	신탁회사	토지소유자
건축시공		개발업자	개발업자	사업시행자	개발업자	신탁회사	컨소시엄 구성회사
자금조달		개발업자	개발업자	투자자	토지소유자	신탁회사	
사업시행		토지소유자	토지소유자	사업시행자	개발업자	신탁회사	토지소유자
이익귀속		토지소유자, 개발업자	토지소유자, 개발업자	토지소유자, 투자자	토지소유자	수익자	토지소유자, 컨소시엄 구성회사
비 고	일반적으로 이용	시공사와 공사비 산정문제	대표적 지주 공동사업	새로운 유형	소규모 사업에 활용	신탁 수수료 협의문제	지주공동 사업과 유사 형태

부동산신탁

↳ 에듀윌 1차 기본서 [부동산학개론] pp.473~475

1 신탁의 개념 및 신탁관계인

신탁의 개념	신탁이란 신탁을 설정하는 자(위탁자)와 신탁을 인수하는 자(수탁자) 간의 신임관계에 기하여 위탁자가 수탁자에게 특정의 재산(영업이나 저작재산권의 일부를 포함)을 이전하거나 담보권의 설정 또는 그 밖의 처분을 하고, 수탁자로 하여금 일정한 자(수익자)의 이익 또는 특정의 목적을 위하여 그 재산의 관리, 처분, 운용, 개발, 그 밖에 신탁 목적의 달성을 위하여 필요한 행위를 하게 하는 법률관계를 말함(신탁법 제2조)
신탁 관계인	① 위탁자: 신탁을 설정하는 자 ② 수탁자: 신탁을 인수하는 자, 신탁회사 ③ 수익자: 신탁행위에 따라 신탁이익을 받는 자 ④ 신탁재산관리인: 수탁자를 대신하여 신탁재산을 관리하는 자

2 부동산신탁

개념	위탁자(부동산소유자)가 수탁자(부동산신탁회사)와 신탁계약을 체결한 후 부동산을 수탁자에게 소유권 이전 및 신탁등기를 하고 나면, 수탁자는 신탁계약에서 정한 목적 달성을 위하여 신탁부동산을 개발·관리·처분하여 발생한 수익 또는 잔존부동산을 신탁 종료 시 수익자에게 교부하는 제도
토지 (개발) 신탁	① 토지소유자가 토지를 개발하기 위한 목적으로 가입하는 신탁 ② 신탁회사는 신탁계약에 따라 사업비 조달, 시공사 선정 등의 개발 사업을 수행 ③ 사업이 완료되면 신탁회사는 신탁보수, 비용 등을 정산한 뒤 수익을 수익자에게 지급하는 것으로 신탁계약 종료

부동산 관리신탁	의 의	① 위탁자가 수탁자와 신탁계약을 체결한 후 부동산을 수탁자에게 소유권 이전 및 신탁등기를 하고 나면, 수탁자는 신탁재산으로 인수한 부동산을 관리(보존, 개량, 임대 등)하고 발생한 수익을 수익자에게 교부하는 신탁 ② 부동산의 소유자가 부동산의 관리서비스를 받기 위한 목적으로 가입하는 것으로, 부동산의 소유권관리, 건물수선 및 유지, 임대차관리 등 제반 부동산 관리 업무를 신탁회사가 수행하는 방식
	갑종 (종합 관리형)	① 위탁자가 맡긴 부동산을 종합적으로 관리·운용하여 그 수익을 수익자에게 교부하는 방식 ② 부동산의 소유권만 관리하는 것이 아니라 건물의 외형이나 경제적인 측면까지 관리하는 법률·경제·기술적 관리
	을종 (부분 관리형)	① 부동산의 소유권 관리만을 하는 것으로, '명의신탁'이라고도 함 ② 소유권의 법률관리만을 하는 것으로, 부동산의 소유권만 신탁회사 앞으로 이전해 놓고 실제적인 관리는 위탁자가 함 ➡ 신탁회사는 단순히 명의 대여자일 뿐 아무런 권한이 없음
부동산 처분신탁		① 위탁자(부동산소유자)가 부동산의 처분을 목적으로 수탁자에게 소유권을 이전하고, 수탁자가 신탁재산으로 인수한 부동산을 처분하여 그 처분대금을 수익자에게 교부하는 신탁 ② 권리관계가 복잡하여 처분에 어려움이 있는 부동산이나 부동산의 규모가 큰 고가의 부동산을 효율적으로 처분하기 위해 이용될 수 있음
부동산 담보신탁		① 위탁자(부동산소유자)가 소유권을 수탁자(신탁회사)에게 이전하고 수탁자(신탁회사)로부터 수익증권을 교부받아 수익증권을 담보로 금융기관에서 대출을 받는 신탁 ② 위탁자의 채무불이행 시 신탁회사는 부동산을 처분하여 금융기관에 변제해 주고 잔액은 위탁자에게 돌려주게 됨
분양관리 신탁		① 상가 등 건축물 분양의 투명성과 안정성을 확보하기 위하여 신탁회사에 사업부지의 신탁과 분양에 따른 자금관리업무를 부담시키는 제도 ② 일정규모 이상의 상가, 오피스텔 등을 선분양하는 경우 필요한 신탁으로, 부동산 신탁회사가 부동산 소유권 및 분양대금을 보전·관리하게 함으로써 건축물 분양과정의 투명성과 안정성을 확보하여 피분양자를 보호하기 위해 시행되는 제도

민간투자사업방식

↳ 에듀윌 1차 기본서 [부동산학개론] pp.475~476

BTO방식 (Build-Transfer-Operate)	사회간접자본시설의 준공과 함께 시설의 소유권이 정부 등에 귀속되지만, 사업시행자가 정해진 기간 동안 시설에 대한 운영권을 가지고 수익을 내는 민간투자사업방식 예 도로, 터널 등
BTL방식 (Build-Transfer-Lease)	민간이 개발한 시설의 소유권을 준공과 동시에 공공에 귀속시키고, 민간은 시설관리운영권을 가지며, 공공은 그 시설을 임차하여 사용하는 민간투자사업방식 예 학교 건물, 기숙사, 도서관, 군인 아파트 등
BOT방식 (Build-Operate-Transfer)	민간사업자가 스스로 자금을 조달하여 시설을 건설하고, 일정기간 소유·운영한 후, 사업이 종료한 때 국가 또는 지방자치단체 등에 시설의 소유권을 이전하는 민간투자사업방식
BLT방식 (Build-Lease-Transfer)	사업시행자가 사회간접자본시설을 준공한 후 일정기간 동안 운영권을 정부에 임대하여 투자비를 회수하며, 약정 임대기간 종료 후 시설물을 정부 또는 지방자치단체에 이전하는 민간투자사업방식
BOO방식 (Build-Own-Operate)	시설의 준공과 함께 사업시행자가 소유권과 운영권을 갖는 민간투자사업방식

경제기반이론

└ 에듀윌 1차 기본서 [부동산학개론] pp.479~483

의의	어떤 지역의 기반산업이 활성화되면 비기반산업도 함께 활성화됨으로써 지역경제의 성장과 발전이 유도된다는 이론	
입지 계수	의의	해당 지역 특정산업의 특화도를 판별하는 지수
	공식	입지계수(LQ) $= \dfrac{\dfrac{A지역\ X산업의\ 고용자\ 수}{A지역\ 전체\ 산업의\ 고용자\ 수}}{\dfrac{전국\ X산업의\ 고용자\ 수}{전국\ 전체\ 산업의\ 고용자\ 수}}$
	내용	① LQ > 1 ➡ A지역은 X산업제품을 수출(➡ 수출기반산업) ② LQ = 1 ➡ A지역은 X산업제품을 자급(평균) ③ LQ < 1 ➡ A지역은 X산업제품을 수입
경제 기반 승수	의의	경제기반산업의 고용증가 등이 지역사회 총고용인구증가에 미치는 영향을 예측할 수 있게 하는 승수
	공식	경제기반승수 $= \dfrac{지역\ 전체의\ 증가분}{기반산업의\ 증가분}$ $= \dfrac{1}{기반산업비율} = \dfrac{1}{1-비기반산업비율}$
	내용	① 경제기반승수를 통해 기반산업 수출부문의 고용인구 변화가 지역의 전체 고용인구에 미치는 영향을 예측할 수 있음 ② 경제기반승수를 통해 기반산업 수출부문의 고용인구 변화가 지역의 총인구에 미치는 영향을 예측할 수 있음 ③ 경제기반분석은 고용인구 변화가 부동산수요에 미치는 영향을 예측하는 데 사용될 수 있음

부동산관리의 의의 및 필요성

↳ 에듀윌 1차 기본서 [부동산학개론] pp.483~484

의 의	부동산을 그 목적에 맞게 최유효이용을 할 수 있도록 하는, 부동산의 유지·보존·개량 및 그 운용에 관한 일체의 행위
필요성	① 도시화 ② 건축기술의 발달 ③ 부재소유자의 요구
영 역	① 시설관리: 소극적 관리 ➡ 설비의 운전 및 보수, 에너지 관리, 건물 청소관리, 방범·방재 등 보안관리 ② 재산관리(건물 및 임대차관리): 수익목표의 수립, 자본적·수익적 지출계획 수립, 임대차 유치 및 유지, 비용통제 ③ 자산관리: 부동산소유자나 기업의 부(富)를 극대화하려는 적극적인 관리 ➡ 포트폴리오 관리, 투자리스크 관리, 프로젝트 파이낸싱, 부동산의 매입과 매각관리

부동산관리의 방식

↳ 에듀윌 1차 기본서 [부동산학개론] pp.490~493

구 분	장 점	단 점
자가 자치 (자영 직접) 관리	① 소유자의 강한 지시통제력 발휘 ② 관리 각 부문을 종합적으로 운영 ③ 기밀유지와 보안관리가 양호 ④ 설비에 대한 애호정신이 높고 유사시 　협동이 신속	① 업무의 적극적인 의욕의 결여(타성화되 　기 쉬움) ② 관리의 전문성 결여 ③ 인력관리가 비효율적(참모체계가 방대 　해질 수 있음) ④ 인건비가 불합리하게 지불될 우려 ⑤ 임대료의 결정·수납이 비합리적
위탁 (외주 전문 간접) 관리	① 전문적 관리와 서비스 가능 ② 소유자는 본업에 전념할 수 있음 ③ 부동산관리비용이 저렴 및 안정 ④ 관리를 위탁함으로써 자사의 참모체계 　의 단순화 가능 ⑤ 급여 체제나 노무의 단순화 ⑥ 관리의 전문성으로 인하여 전문업자의 　활용이 합리적	① 전문관리회사의 선정이 어려움 ② 관리요원의 인사 이동이 심해 관리하자 　우려 ③ 종업원의 소질과 기술이 저하 ④ 종업원의 신뢰도 저하 ⑤ 부동산 관리요원들의 부동산설비에 대 　한 애호정신의 저하 ⑥ 기밀유지 및 보안의 불완전
혼합 관리	① 강한 지도력을 계속 확보하고 위탁관리 　의 편리를 이용 ② 주로 기술적 부분 위탁 ③ 과도기(자가관리 ➡ 위탁관리)적 방식으 　로 이용이 편리	① 책임소재가 불명확하며 전문업자를 충 　분히 활용할 수 없음 ② 관리요원 사이의 원만한 협조가 곤란할 　수 있음 ③ 운영이 악화되면 양 방식의 결점만 노출

임대차활동 및 유형

↳ 에듀윌 1차 기본서 [부동산학개론] pp.494~495

1 임대차활동

의 의	임대차를 통해 수입을 확보하는 것으로, 부동산관리활동 중 가장 중요한 기초활동
임차인 선정	① 주거용 부동산은 다른 입주자와 얼마나 어울리는가 하는 '유대성'을, 매장용 부동산은 얼마나 수입을 올릴 수 있는가 하는 '가능매상고'를, 사무실용이나 공업용 부동산은 대상부동산의 임대공간이 임차목적에 얼마나 잘 맞는가 하는 '적합성'을 임차인 선정기준으로 함 ② 매장용 부동산에서는 업종이 서로 겹치지 않도록 적절히 배합을 해야 개별임차인뿐만 아니라 전체의 수익이 극대화되므로 임차인 혼합(tenant mix)이 중요 ③ 쇼핑센터나 대규모 사무실건물 등은 사전에 유명백화점이나 유명회사의 지점 등의 중요임차인(중요임차자)을 확보하여야 함 ④ 중요임차인은 한 곳에 위치를 정하면 잘 이동을 하지 않으므로 정박임차인(정박임차자)이라고도 함 ➡ 정박임차인들에 의해 나머지 군소임차인(군소임차자)들의 입지가 결정되는 경우가 많음
임대차계약	부동산관리자는 가능임차인이 대상부동산에 맞다고 판단되면 임대차계약을 체결함

2 임대료 결정방법 – 임대차 유형

총임대차	의 의	임차인이 임대인에게 지불한 지불임대료에서 임대인은 부동산운영에 수반되는 부동산세금, 보험료 등의 제 비용을 지불
	적 용	주거용 부동산
순임대차	의 의	임차인은 임대인에게 순수한 임대료만을 지불하고, 그 외의 영업경비는 임대인과 임차인 간의 사전협상에 따라 지불
	적 용	공업용 부동산
	종 류	① 1차: 순수한 임대료와 편익시설 비용, 부동산세금 등을 지불 ② 2차: 1차 순임대차 + 보험료까지 지불 ③ 3차: 2차 순임대차 + 유지수선비까지 지불 ➡ 가장 일반적으로 사용
비율임대차	의 의	임차인의 총수입 중에서 일정비율을 임대료로 지불 ➡ 기본임대료 + 추가임대료
	적 용	매장용 부동산

POINT 101 대상부동산의 유지활동

↳ 에듀윌 1차 기본서 [부동산학개론] p.496

구 분	활 동	내 용
일상적 유지활동	정기적 유지활동	청소하기, 쓰레기 치우기, 잔디 깎기, 소독 등과 같이 일상적으로 늘 수행하는 유지활동
예방적 유지활동	사전적 유지활동	시설이나 장비 등이 제 기능을 효율적으로 발휘하기 위하여 수립된 유지계획에 따라 문제가 발생하기 전에 행하는 유지활동
대응적 유지활동	사후적 유지활동	문제가 발생하고 난 후에 행하는 유지활동 ➡ 수정적 유지활동

건물의 수명현상(연수사이클)

↳ 에듀윌 1차 기본서 [부동산학개론] pp.498-500

전개발단계 **(용지단계)**	① 장차 건물이 건축될 용지의 상태 ② 건축계획, 건축 후 관리계획 ③ 전문가를 활용하여 공법상의 규제 등을 고려 ④ 시장조사
신축단계	① 건물이 완성된 단계 ② 물리적·기능적 유용성 최고, but ➡ 경제적 유용성은 최고(×)
안정단계 **(중년단계)**	① 존속기간이 가장 장기, 경제적 관리가 특히 중요 ② 관리상태가 건물의 수명 결정 ➡ 관리상태가 중요한 단계 ③ 수익적 지출(○) & 자본적 지출(○)
노후단계	① 물리적·기능적 상태가 급격히 악화, 낮은 수준의 임차인 ② 개조 등 추가투자보다 건물 교체계획 검토 ③ 수익적 지출(○) & 자본적 지출(×)
완전폐물단계	① 건물이 물리적·경제적으로 쓸모가 없어지는 단계 ② 전개발단계를 향하여 모든 일이 전개됨

부동산마케팅의 의의 및 전략

↳ 에듀윌 1차 기본서 [부동산학개론] pp.502~507

의 의	① 부동산과 부동산업에 대한 태도나 행동을 형성·유지·변경하기 위하여 수행하는 활동 ② 부동산 활동주체가 소비자나 이용자의 욕구를 파악하고 창출하여 자신의 목적을 달성시키기 위해 시장을 정의하고 관리하는 과정 ⇒ 물적 부동산, 부동산서비스, 부동산증권 등의 부동산제품을 사고, 팔고, 임대차하는 것		
전 략	시장점유 마케팅 전략 (판매자 위주)	STP 전략	시장세분화(Segmentation), 표적시장(Target), 시장차별화 (Positioning)
		4P Mix 전략	제품(Product), 가격(Price), 유통경로(Place), 홍보(Promotion) ⇒ 상업용 부동산의 마케팅 등에서 사용
	고객점유 마케팅 전략 (구매자 위주)	AIDA 전략	주의(Attention), 관심(Interest), 욕망(Desire), 행동(Action)
	관계마케팅 전략	생산자와 소비자 간의 장기적·지속적인 관계유지를 주축으로 하는 마케팅 ⇒ 주로 '브랜드(brand)' 문제와 연결됨	

05 | 기출지문 CHECK

01 저당상환방법 중 원리금균등상환방식의 경우, 매 기간에 상환하는 원금상환액이 점차적으로 감소한다. ·29회   (O ¦ X)

02 대출금액과 기타 대출조건이 동일한 경우 원금균등상환방식은 원리금균등상환방식에 비해 전체 대출기간 만료 시 누적원리금 상환액이 더 크다. ·27회   (O ¦ X)

03 대출기간 만기까지 대출기관의 총이자수입 크기는 '원금균등상환방식>점증(체증)상환방식>원리금균등상환방식' 순이다. ·29회   (O ¦ X)

04 프로젝트금융의 자금은 건설회사 또는 시공회사가 자체계좌를 통해 직접 관리한다. ·27회   (O ¦ X)

05 프로젝트금융은 사업주의 재무상태표에 해당 부채가 표시된다. ·29회   (O ¦ X)

06 한국주택금융공사의 주택담보노후연금(주택연금)에 대한 담보주택의 대상으로 업무시설인 오피스텔도 포함된다. ·31회   (O ¦ X)

07 연금가입자는 주택연금의 전액 또는 일부 정산 시 중도상환수수료를 부담한다. ·23회   (O ¦ X)

08 부동산금융의 자금조달방식 중 부동산투자회사(REITs), 공모(public offering)에 의한 증자는 지분금융(equity financing)에 해당한다. ·31회   (O ¦ X)

정답 **01** X (매기 상환액 중 원금상환액은 점차 커지며 이자지급액은 점차 감소한다) **02** X (크다 → 작다) **03** X [점증(체증)상환방식>원리금균등상환방식>원금균등상환방식] **04** X (자체계좌를 통해 직접 관리한다 → 위탁관리계좌를 통해 관리한다) **05** X (표시된다 → 표시되지 않는다) **06** X (주거용 오피스텔은 해당되나 업무시설인 오피스텔은 포함되지 않는다) **07** X (부담한다 → 부담하지 않는다) **08** O

09 2차 저당시장은 1차 저당시장에 자금을 공급하는 역할을 한다. •27회 (O ¦ X)

10 제2차 저당대출시장은 저당대출을 원하는 수요자와 저당대출을 제공하는 금융기관으로 형성되는 시장을 말하며, 주택담보대출시장이 여기에 해당한다. •25회 (O ¦ X)

11 제2차 주택저당대출시장은 특별목적회사(SPC)를 통해 투자자로부터 자금을 조달하여 주택자금 대출기관에 공급해주는 시장을 말한다. •21회 (O ¦ X)

12 MPTS(Mortgage Pass-Through Securities)는 지분형 증권이기 때문에 증권의 수익은 기초자산인 주택저당채권 집합물(mortgage pool)의 현금흐름(저당지불액)에 의존한다. •24회 (O ¦ X)

13 주택저당담보부채권(MBB)은 주택저당대출차입자의 채무불이행이 발생하더라도 MBB에 대한 원리금을 발행자가 투자자에게 지급하여야 한다. •28회 (O ¦ X)

14 CMO(Collateralized Mortgage Obligation)는 트랜치별로 적용되는 이자율과 만기가 동일한 것이 일반적이다. •27회 (O ¦ X)

15 위탁관리 부동산투자회사는 자산의 투자·운용업무를 자산관리회사에게 위탁하여야 한다.
•21회 •30회 (O ¦ X)

16 부동산투자회사는 현물출자에 의한 설립이 가능하다. •29회 (O ¦ X)

17 자기관리 부동산투자회사의 설립 자본금은 5억원 이상으로 한다. •24회 •26회 •27회 •29회 (O ¦ X)

18 위탁관리 부동산투자회사 및 기업구조조정 부동산투자회사의 설립 자본금은 3억원 이상으로 한다.
•29회 (O ¦ X)

정답
09 O 10 X (제2차 → 제1차) 11 O 12 O 13 O 14 X (이자율과 만기가 동일한 → 이자율과 만기가 다른)
15 O 16 X (가능 → 불가능) 17 O 18 O

19 위탁관리 부동산투자회사는 본점 외의 지점을 설치할 수 있으며, 직원을 고용하거나 상근 임원을 둘 수 있다. •26회 (O | X)

20 도시스프롤 현상은 도시의 성장이 무질서하고 불규칙하게 확산되는 현상이다. •23회 (O | X)

21 스프롤 현상이 발생한 지역의 토지는 최유효이용에서 괴리될 수 있다. •23회 (O | X)

22 부동산개발이란 타인에게 공급할 목적으로 토지를 조성하거나 건축물을 건축, 공작물을 설치하는 행위로 조성·건축·대수선·리모델링·용도변경 또는 설치되거나 될 예정인 부동산을 공급하는 것을 말한다. 다만, 시공을 담당하는 행위는 제외된다. •23회 (O | X)

23 부동산개발이 다음과 같은 5단계만 진행된다고 가정할 때, 일반적인 진행 순서는, '사업부지 확보 → 예비적 타당성 분석 → 사업구상(아이디어) → 사업 타당성 분석 → 건설'이다. •26회 (O | X)

24 워포드(L. Wofford)는 부동산개발위험을 법률위험, 시장위험, 비용위험으로 구분하고 있다. •28회 (O | X)

25 부동산개발의 법률적 위험을 줄이는 하나의 방법은 이용계획이 확정된 토지를 구입하는 것이다. •27회 •28회 (O | X)

26 부동산개발사업의 위험은 법률적 위험(legal risk), 시장위험(market risk), 비용위험(cost risk) 등으로 분류할 수 있다. •23회 (O | X)

27 시장분석은 개발된 부동산이 현재나 미래의 시장상황에서 매매·임대될 수 있는 가능성 정도를 조사하는 것을 말한다. •27회 (O | X)

정답
19 X (본점 외의 지점을 설치할 수 없으며, 직원을 고용하거나 상근 임원을 둘 수 없다)   20 O   21 O   22 O
23 X ['사업구상(아이디어) → 예비적 타당성 분석 → 사업부지 확보 → 사업 타당성 분석 → 건설'이다]   24 O   25 O
26 O   27 X (시장분석 → 시장성 분석)

28 시장성 분석은 특정 부동산에 관련된 시장의 수요와 공급 상황을 분석하는 것이다. •25회 　(O ¦ X)

29 민간의 부동산개발방식 중 자체개발사업에서는 사업시행자의 주도적인 사업추진이 가능하나 사업의 위험성이 높을 수 있어 위기관리능력이 요구된다. •26회 　(O ¦ X)

30 토지(개발)신탁방식은 신탁회사가 토지소유권을 이전받아 토지를 개발한 후 분양하거나 임대하여 그 수익을 신탁자에게 돌려주는 것이다. •27회 　(O ¦ X)

31 토지신탁(개발)방식은 토지소유자가 토지소유권을 유지한 채 개발업자에게 사업시행을 맡기고 개발업자는 사업시행에 따른 수수료를 받는 방식이다. •29회 　(O ¦ X)

32 부동산신탁에 있어서 당사자는 부동산 소유자인 위탁자와 부동산 신탁사인 수탁자 및 신탁재산의 수익권을 배당받는 수익자로 구성되어 있다. •30회 　(O ¦ X)

33 관리신탁에 의하는 경우 법률상 부동산 소유권의 이전 없이 신탁회사가 부동산의 관리업무를 수행하게 된다. •30회 　(O ¦ X)

34 부동산의 소유권관리, 건물수선 및 유지, 임대차관리 등 제반 부동산 관리업무를 신탁회사가 수행하는 것을 관리신탁이라 한다. •30회 　(O ¦ X)

35 BTO(Build-Transfer-Operate) 방식은 민간이 개발한 시설의 소유권을 준공과 동시에 공공에 귀속시키고 민간은 시설관리운영권을 가지며, 공공은 그 시설을 임차하여 사용하는 민간투자사업방식이다.
•27회 　(O ¦ X)

정답　28 X (시장성 분석 → 시장분석)　29 O　30 O　31 X [토지신탁(개발)방식 → 사업위탁(수탁)방식]　32 O
33 X (소유권의 이전 없이 → 소유권을 이전하여)　34 O　35 X [BTO(Build-Transfer-Operate) → BTL(Build-Transfer-Lease)]

36 사회기반시설의 준공과 동시에 해당 시설의 소유권이 국가 또는 지방자치단체에 귀속되며, 사업시행
자에게 일정기간의 시설관리운영권을 인정하는 방식은 BTL(Build−Transfer−Lease) 방식이다.
• 28회 (O ¦ X)

37 자산관리는 건물의 설비, 기계운영 및 보수, 유지관리 업무에 한한다. • 25회 • 26회 (O ¦ X)

38 포트폴리오 관리 및 분석, 부동산 투자의 위험관리, 재투자 · 재개발 과정분석, 임대마케팅 시장분석,
부동산의 매입과 매각관리 등은 자산관리(asset management)에 해당한다. • 30회 (O ¦ X)

39 자가(직접)관리방식은 전문(위탁)관리방식에 비해 기밀유지에 유리하고 의사결정이 신속한 경향이 있
다. • 26회 (O ¦ X)

40 간접(위탁)관리방식은 관리업무의 전문성과 합리성을 제고할 수 있는 반면, 기밀유지에 있어서 직접
(자치)관리방식보다 불리하다. • 23회 (O ¦ X)

41 혼합관리방식은 필요한 부분만 선별하여 위탁하기 때문에 관리의 책임소재가 분명해지는 장점이 있
다. • 25회 (O ¦ X)

42 부동산관리자가 상업용 부동산의 임차자를 선정할 때는 가능매상고가 중요한 기준이 된다. • 22회
(O ¦ X)

43 임차부동산에서 발생하는 총수입(매상고)의 일정비율을 임대료로 지불한다면, 이는 임대차의 유형 중
비율임대차에 해당한다. • 22회 • 26회 (O ¦ X)

정답 **36** X [BTL(Build−Transfer−Lease) → BTO(Build−Transfer−Operate)] **37** X (자산관리 → 시설관리) **38** O **39** O
40 O **41** X (분명해지는 장점 → 불분명해지는 단점) **42** O **43** O

44 대응적 유지활동은 시설 등이 본래의 기능을 발휘하는 데 장애가 없도록 유지계획에 따라 시설을 교환하고 수리하는 사전적 유지활동을 의미한다. •22회 (O | X)

45 건물의 생애주기 단계 중 안정단계에서 건물의 양호한 관리가 이루어진다면 안정단계의 국면이 연장될 수 있다. •26회 (O | X)

46 부동산마케팅에서 표적시장(target market)이란 세분된 시장 중에서 부동산기업이 표적으로 삼아 마케팅활동을 수행하는 시장을 말한다. •28회 (O | X)

47 시장분석을 통한 적정 분양가 책정은 부동산마케팅 4P 전략 중 가격 전략에 해당한다. •27회 (O | X)

48 고객점유마케팅 전략이란 공급자 중심의 마케팅 전략으로 표적시장을 선정하거나 틈새시장을 점유하는 전략을 말한다. •26회 (O | X)

49 부동산마케팅에서 4P 마케팅 믹스(Marketing Mix) 전략의 구성요소는 제품(Product), 유통경로(Place), 판매촉진(Promotion), 가격(Price)이다. •31회 (O | X)

정답 44 X (대응적 유지활동 → 예방적 유지활동)   45 O   46 O   47 O   48 X (고객점유마케팅 전략 → 시장점유마케팅 전략)   49 O

괴로움과 즐거움을
함께 맛보면서 연마하여,
연마 끝에 복을 이룬 사람은
그 복이 비로소 오래 가게 된다.

– 채근담

PART 3

부동산 감정평가론

최근 5개년 출제비중

15.5%

출제 POINT 한눈에 보기

최근 5년간 ★★★ 4~5회 출제 ★★ 2~3회 출제 ★ 1회 이하 출제 / 분류기준에 따라 달라질 수 있음

POINT 01   부동산 감정평가의 개요

↳ 에듀윌 1차 기본서 [부동산학개론] pp.528~531

1 감정평가의 개념

의 의	토지 등의 경제적 가치를 판정하여 그 결과를 가액으로 표시하는 것
특 징	① '토지 등' ➡ 토지를 비롯한 부동산, 동산, 기타 재산, 유가증권 등을 말함 ② '경제적 가치를 판정' ➡ 대상물건의 교환가치, 시장가치를 판단하고 측정 ③ '그 결과를 가액으로 표시하는 것' ➡ 측정한 결과를 구체적으로 화폐금액으로 표시함

2 부동산 감정평가의 기능

구 분	부동산정책적 기능	일반경제적 기능
의 의	부동산이 가지고 있는 객관적 가치를 평가하여 효율적인 부동산정책의 형성과 집행을 가능하게 하는 기능	불완전경쟁시장의 결함을 보완함으로써 부동산자원의 효율적 배분과 경제의 유통질서 확립에 기여하는 기능
특 징	① 적정한 가치의 유도 ② 부동산의 효율적 이용 · 관리 ③ 합리적 손실보상 ④ 과세의 합리화	① 부동산자원의 효율적 배분 ② 거래질서 확립 및 유지 ③ 의사결정의 판단기준 제시

감정평가의 분류 – 전제조건에 따른 분류

27회, 28회, 30회

↳ 에듀윌 1차 기본서 [부동산학개론] pp.532~534

현황 평가	대상부동산의 설비·상태·구조·용도, 제한물권의 부착, 점유상태 등을 현황대로 유지할 것을 전제로 행하는 평가 ➡ 대상부동산의 현재 상태대로 가치를 평가하는 것
조건부 평가	다소 불확실하지만 부동산가치에 영향을 줄 수 있는 새로운 상태의 발생을 상정하여 그 조건이 성취되는 경우를 전제로 부동산을 평가하는 것
기한부 평가	장래에 도달할 확실한 일정시점을 기준으로 행하는 평가 ⑩ 분양시점이 확실한 아파트나 조성지, 매립지의 평가에 적용
소급 평가	과거의 어느 시점을 기준으로 부동산을 평가하는 것 ⑩ 민사·형사사건의 유력한 증거로서의 평가, 자산재평가, 기업의 매수·합병 시의 평가에 적용

➕ 현황기준 원칙(감정평가에 관한 규칙 제6조)

1. 원칙
   감정평가는 기준시점에서의 대상물건의 이용상황(불법적이거나 일시적인 이용은 제외) 및 공법상 제한을 받는 상태를 기준으로 함
2. 예외
   ① 감정평가법인등은 법령에 다른 규정이 있는 경우, 의뢰인이 요청하는 경우, 감정평가의 목적이나 대상물건의 특성에 비추어 사회통념상 필요하다고 인정되는 경우에는 기준시점의 가치형성요인 등을 실제와 다르게 가정하거나 특수한 경우로 한정하는 조건을 붙여 감정평가할 수 있음
   ② 감정평가법인등은 감정평가조건의 합리성, 적법성이 결여되거나 사실상 실현이 불가능하다고 판단할 때에는 의뢰를 거부하거나 수임을 철회할 수 있음

➕ 기준시점과 기준가치

기준시점	① 대상물건의 감정평가액을 결정하는 기준이 되는 날짜를 말함(감정평가에 관한 규칙 제2조 제2호) ② 기준시점은 대상물건의 가격조사를 완료한 날짜로 함. 다만, 기준시점을 미리 정하였을 때에는 그 날짜에 가격조사가 가능한 경우에만 기준시점으로 할 수 있음(감정평가에 관한 규칙 제9조 제2항)
기준가치	감정평가의 기준이 되는 가치

POINT 03   **감정평가의 분류 – 평가기법에 따른 분류**   27회, 30회

↳ 에듀윌 1차 기본서 [부동산학개론] pp.535~537

- 원칙: 개별평가
- 예외: 일괄평가, 구분평가, 부분평가

개별평가	감정평가는 대상물건마다 개별로 하여야 함
일괄평가	둘 이상의 대상물건이 일체로 거래되거나 대상물건 상호간에 용도상 불가분의 관계가 있는 경우에는 일괄하여 감정평가할 수 있음
구분평가	하나의 대상물건이라도 가치를 달리하는 부분은 이를 구분하여 감정평가할 수 있음
부분평가	일체로 이용되고 있는 대상물건의 일부분에 대하여 감정평가하여야 할 특수한 목적이나 합리적인 이유가 있는 경우에는 그 부분에 대하여 감정평가할 수 있음

➕ 독립평가

토지 및 건물 등이 결합되어 부동산이 구성되어 있는 경우에 그 구성부분인 토지만을 독립된 부동산으로 규정하여 평가하는 것

POINT 04	감정평가의 분류 – 기타

↳ 에듀윌 1차 기본서 [부동산학개론] pp.532~535

공적평가	공적 기관에 의해 평가가 수행되는 제도
공인평가	국가 또는 공공단체로부터 일정한 자격을 부여받은 개인에 의해 평가가 수행되는 제도
필수적 평가	일정한 사유가 있으면 반드시 관련 평가기관이 행하는 평가를 받아야 하는 것 예 공시지가 평가, 토지의 수용 등의 평가
임의적 평가	이해관계인이 강제적 구속 없이 자유의사에 따라 임의로 의뢰하여 행하여지는 평가
단독평가	한 사람이 평가의 주체가 되어 행하는 평가
공동평가	다수인이 평가의 주체가 되어 공동으로 행하는 평가
공익평가	평가결과가 공익을 목적으로 하는 평가
사익평가	평가결과가 사익을 목적으로 하는 평가
법정평가	법규에서 정한 대로 행하는 평가로, 공공용지 수용 시 평가, 과세평가 등 예 표준지공시지가 평가, 수용 시 보상평가 등
참모평가	평가사가 독립된 평가활동을 하여 대중에게 서비스를 제공하는 것이 아니라 주로 그들의 고용주 또는 고용기관의 업무를 위하여 행하는 평가
수시적 평가	부동산의 평가를 전업으로 삼지 않으나, 특별히 고도의 전문지식이 필요한 경우에 각 분야의 전문가로 구성되는 일시적인 감정평가

부동산가치의 본질

↳ 에듀윌 1차 기본서 [부동산학개론] pp.544~545

의 의	부동산의 소유에서 비롯되는, 장래의 이익에 대한 현재가치	
	가격(price)	**가치(value)**
가격과 가치의 구분	① 실거래액 ② 과거의 값 ➡ 공인중개사 ③ 객관적·구체적인 개념 ④ 시장수급작용으로 거래당사자 사이에 　 제안된 값 ⑤ 일정시점에서 하나만 존재	① 장래편익의 현재가치 ② 현재의 값 ➡ 감정평가사 ③ 주관적·추상적인 개념 ④ 가격 ± 오차 ⑤ 평가목적에 따라 여러 가지 　 ➡ 가치의 다원적 개념
	가치 = 가격 ± 오차	

➕ 가치와 가격의 관계

　1. 단기: 가격은 가치로부터 괴리

　2. 장기: 가치와 가격이 일치

POINT 06	**부동산가치의 발생요인, 특징, 이중성**

↳ 에듀윌 1차 기본서 [부동산학개론] pp.547~551

1 발생요인

부동산의 효용 (utility, 유용성) ➡ 수요	인간의 필요나 욕구를 만족시켜 줄 수 있는 재화의 능력 ① 주거용 부동산 ➡ 쾌적성 + 편리성 ② 상업용 부동산 ➡ 수익성 ③ 공업용 부동산 ➡ 생산성
부동산의 상대적 희소성 ➡ 공급	인간의 욕망에 비해 욕망의 충족수단이 질적·양적으로 한정되어 있어서 부족한 상태
부동산에 대한 유효수요 ➡ 수요	대상부동산을 구매하고자 하는 욕구로, 지불능력(구매력)을 필요로 함
부동산의 이전성 (transferability)	부동산의 물리적인 이동을 말하는 것이 아니라, 부동산의 소유자에 의해 부동산 소유권에 대한 명의가 자유롭게 이전될 수 있어야 한다는 것

2 특징과 이중성

특징	① 교환의 대가인 가액과 용익의 대가인 임료로 표시 　㉠ 교환의 대가인 교환가치 ➡ 가액(⬅ 원본) 　㉡ 용익의 대가인 사용가치 ➡ 임료(⬅ 과실) ② 부동산에 관한 소유권, 기타 권리·이익의 가치일 뿐, 물건 자체에 대한 물리적 가격은 아님 　㉠ 권리: 물권과 채권을 포함 　㉡ 이익: 사회적 관행 등에 의해서 일종의 권리로 볼 수 있는 것 　　⑩ 권리금 ③ 부동산의 가치는 장기적인 고려하에 형성되며 항상 변동의 과정에 있음 ➡ 기준시점 명시, 시점수정의 이론적 근거

특징	④ 거래당사자의 개별적인 동기나 특수한 사정이 개입되기 쉬움 　➡ 개별요인을 분석·비교하고, 사정보정을 실시해야 함 ⑤ 해당 지역 및 다른 부동산과의 상호작용에 의하여 가치가 결정됨 ⑥ 부동산은 장기간 이용(토지는 영구적)되므로, 장기간 수익을 올릴 수 있음
이중성	대상부동산의 가격(가치)은 그 부동산의 효용, 상대적 희소성, 유효수요의 상호 결합에 의해 결정되고, 일단 가격(가치)이 결정되면 반대로 그 가격(가치)이 효용, 상대적 희소성, 유효수요에 영향을 미쳐서 수요와 공급을 조절함

POINT 07 시장가치(market value) 27회, 28회

↳ 에듀윌 1차 기본서 [부동산학개론] pp.551~552

시장가치의 의의	감정평가의 대상이 되는 대상물건이 통상적인 시장에서 충분한 기간 동안 거래를 위하여 공개된 후, 그 대상물건의 내용에 정통한 당사자 사이에 신중하고 자발적인 거래가 있을 경우 성립될 가능성이 가장 높다고 인정되는 대상물건의 가액(價額)
시장가치의 조건	① 대상물건의 시장성 ② 통상적인 시장 ③ 출품기간의 합리성 ④ 거래의 자연성 ⑤ 당사자의 정통성
시장가치기준 원칙	대상물건에 대한 감정평가액은 시장가치를 기준으로 결정
시장가치 외의 가치를 기준으로 감정평가	① 감정평가법인등은 다음의 어느 하나에 해당하는 경우에는 대상물건의 감정평가액을 시장가치 외의 가치를 기준으로 결정할 수 있음 　㉠ 법령에 다른 규정이 있는 경우 　㉡ 감정평가 의뢰인이 요청하는 경우 　㉢ 감정평가의 목적이나 대상물건의 특성에 비추어 사회통념상 필요하다고 인정되는 경우

② 감정평가법인등은 위 ①에 따라 시장가치 외의 가치를 기준으로 감정평가를 할 때에는 다음의 사항을 검토하여야 함. 다만, 법령에 다른 규정이 있는 경우에는 그러하지 아니함
　㉠ 해당 시장가치 외의 가치의 성격과 특징
　㉡ 시장가치 외의 가치를 기준으로 하는 감정평가의 합리성 및 적법성
③ 감정평가법인등은 시장가치 외의 가치를 기준으로 하는 감정평가의 합리성 및 적법성이 결여(缺如)되었다고 판단할 때에는 의뢰를 거부하거나 수임(受任)을 철회할 수 있음

POINT 08　가치의 다원적 개념

↳ 에듀윌 1차 기본서 [부동산학개론] pp.552~553

사용가치	대상부동산이 특정한 용도로 사용되었을 때 가질 수 있는 가치
투자가치	대상부동산이 특정한 투자자에게 부여하는 주관적 가치
보상가치	국가나 공공단체 등이 공익목적의 공공사업 시행을 위해 대상부동산을 매수·수용하는 경우 평가하는 가치
담보가치	은행 등이 장래 채무불이행 시 대주와 차주 간에 설정된 담보물에 대한 상환 가능가치
과세가치	조세부과를 목적으로 하는 것으로써, 정부나 지방자치단체에서 조세를 부과하는 데 사용되는 가치
보험가치	보험금 등을 산정하기 위해 사용되는 가치
공익가치 (공공가치)	부동산의 최고·최선의 이용이 보전이나 보존과 같은 공공목적의 비경제적 이용에 있을 때 대상부동산이 지니는 가치
장부가치 (재고가치)	대상부동산의 당초의 취득가격에서 법적으로 허용되는 방법에 의한 감가상각분을 제외한 장부상의 잔존가치

부동산가치 결정과정

↳ 에듀윌 1차 기본서 [부동산학개론] pp.544~594

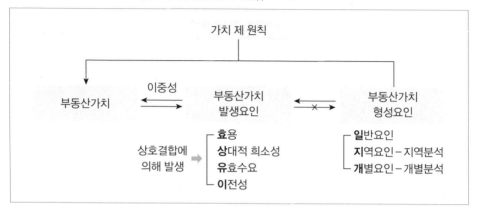

POINT 10 **부동산가치의 형성요인**

↳ 에듀윌 1차 기본서 [부동산학개론] pp.554~562

일반요인	사회적 요인	① 인구의 상태 ② 가족구성 및 세대분리의 상태 ③ 도시형성 및 공공시설의 정비 상태 ④ 교육 및 사회복지 등의 상태 ⑤ 부동산거래 및 사용 · 수익의 관행 ⑥ 건축양식 등의 상태 ⑦ 정보화 진전의 상태
	경제적 요인	① 소비 · 저축 · 투자 및 국제수지의 상태, 국제화의 상태 ② 재정 및 금융 등의 상태 ③ 물가 · 임금 · 고용의 수준 ④ 세부담의 상태 ⑤ 기술혁신 및 산업구조의 상태 ⑥ 교통체계의 상태
	행정적 요인	① 토지제도 ② 토지의 이용계획 및 규제의 상태 ③ 택지 및 주택에 관한 시책의 상태 ④ 토지 및 건축물의 구조 · 방재(防災) 등에 관한 시책의 상태 ⑤ 부동산가액과 임대료에 관한 규제 ⑥ 부동산세제 ⑦ 부동산가격공시제도
지역요인		① 어떤 지역 내의 부동산가치에만 영향을 미치는 요인 ② 자연적 조건과 일반적 요인의 상관결합으로 구성되며, 대상지역의 규모와 특성을 형성하고 그 지역에 속하는 부동산가격수준을 형성하는 요인
개별요인		① 대상부동산의 가치에만 영향을 미치는 요인 ② 대상부동산의 특수한 상태 · 조건 등과 같은 개별성이 가치형성에 영향을 미치는 요인

지역분석의 대상

↳ 에듀윌 1차 기본서 [부동산학개론] pp.563~572

인근 지역	의 의	대상부동산이 속한 지역으로서 부동산의 이용이 동질적이고 가치형성요인 중 지역요인을 공유하는 지역
	특 성	① 대상부동산의 가치형성에 직접 영향을 미침 ② 인근지역 내 부동산은 대상부동산과 상호 대체·경쟁의 관계에 있고, 동일한 가격수준을 가짐 ③ 인근지역 내 부동산은 대상부동산과 용도적·기능적으로 동질성을 가짐
유사 지역	의 의	대상부동산이 속하지 아니하는 지역으로서 인근지역과 유사한 특성을 갖는 지역
	특 성	인근지역과 용도적·기능적으로 동질적이며, 양 지역의 부동산은 상호 대체·경쟁관계가 성립
동일 수급권	의 의	① 대상부동산과 대체·경쟁관계가 성립하고, 가치형성에 서로 영향을 미치는 관계에 있는 다른 부동산이 존재하는 권역 ② 인근지역과 유사지역을 포함 ➡ 사례수집의 최원방권

동일 수급권	동일 수급권 파악	주거지	도심으로 통근이 가능한 지역범위와 일치하는 경향이 있고, 지역적 선호, 사회적 지위, 명성 등에 따라 대체관계가 성립하여 범위가 좁아지기도 함
		상업지	상업배후지를 기초로 상업수익에 관한 대체성을 갖는 지역의 범위와 일치하는 경향이 있음
		공업지	일반적으로 제품생산의 효율성과 판매비용의 경제성이 대체성을 갖는 지역범위와 일치하는 경향이 있음
		이행지	일반적으로 이행될 것으로 보이는 토지 종별의 동일수급권과 일치하는 경향이 있음 ➡ 이행 후의 종별에 따라서 동일수급권을 판정

	후보지	일반적으로 전환될 것으로 보이는 토지 종별의 동일수급권과 일치하는 경향이 있음 ➡ 전환 후의 종별에 따라서 동일수급권을 판정 ➕ 이행 또는 전환이 완만한 경우에는 이행·전환 전의 토지의 동일수급권도 고려함

POINT 12   인근지역의 수명현상

↳ 에듀윌 1차 기본서 [부동산학개론] pp.565~568

성장기 (1단계)	성숙기 (2단계)	쇠퇴기 (3단계)	천이기 (4단계)	악화기 (5단계)
신개발, 재개발	안정기	노후화	과도기	소생기
• 약 15~20년 • 지역기능 급변 • 지가의 상승 높음 • 투기현상 개재 • 입지경쟁 치열 • 입주민은 젊고 교육수준 높음 • 성숙기에 비해 주민들의 유동이 많음 • 상향여과현상 활발	• 약 20~25년 • 지역기능 최고 • 지가수준 최고 • 지가안정 또는 가벼운 상승 • 입지경쟁 안정 • 입주민은 사회적·경제적 수준 최고 • 주민들의 유동 적음	• 약 40~50년 • 건물의 경제적 내용연수 경과 • 중고부동산 거래의 중심 • 하향여과현상의 시작 • 관리비와 유지비 급격히 증가 • 지가의 하락 • 재개발 시작 • 입주민은 사회적·경제적 수준 낮음	• 하향여과현상 활발 • 저소득층 입주민의 활발한 유입 • 가벼운 지가의 상승 • 재개발 활발	• 슬럼화 직전 • 지가수준 최저 • 반달리즘 • 재개발 마지막

지역분석과 개별분석

↳ 에듀윌 1차 기본서 [부동산학개론] pp.573~574

구 분	지역분석	개별분석
의 의	인근지역의 표준적 이용을 판단하여, 그 지역 내의 부동산에 대한 가격수준을 판정하는 작업	대상부동산의 개별적 요인을 분석하여 최유효이용을 판단하고, 대상부동산의 가격을 판정하는 작업
분석순서	선행분석	후행분석
분석내용	가치형성의 지역적 요인을 분석	가치형성의 개별적 요인을 분석
분석범위	대상지역 (전체적 · 광역적 · 거시적 분석)	대상부동산 (부분적 · 구체적 · 미시적 분석)
분석방법	전반적 분석	개별적 분석
분석기준	표준적 이용	최유효이용
가격관련	가격 수준	(구체적인) 가격
가격원칙	적합의 원칙	균형의 원칙

부동산가격(가치)의 제 원칙

28회

↳ 에듀윌 1차 기본서 [부동산학개론] pp.576~589

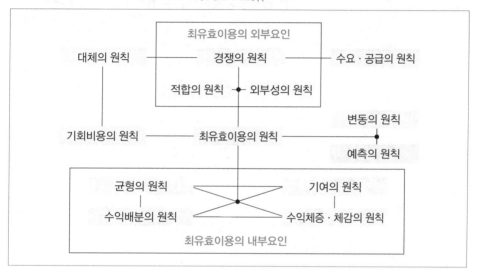

최유효이용의 외부요인

대체의 원칙 ─── 경쟁의 원칙 ─── 수요 · 공급의 원칙

적합의 원칙 ◄─ 외부성의 원칙

변동의 원칙

기회비용의 원칙 ─── 최유효이용의 원칙 ───

예측의 원칙

균형의 원칙   기여의 원칙
│
수익배분의 원칙 ─── 수익체증 · 체감의 원칙

최유효이용의 내부요인

시간의 원칙	변동(변화)의 원칙	부동산의 가치는 부동산가치 형성요인의 상호 인과관계적 결합과 그것의 변동과정에서 형성 · 변화된다는 원칙
	예측(예상, 기대)의 원칙	부동산의 가치는 해당 부동산의 장래의 수익성이나 쾌적성에 대한 예측의 영향을 받아서 결정된다는 원칙
내부의 원칙	균형(비례)의 원칙	➡ 기능적 감가 부동산의 유용성이 최고도로 발휘되기 위해서는 그 내부구성요소의 조합이 균형을 이루고 있어야 한다는 원칙
	기여(공헌)의 원칙	부동산가치는 부동산 각 구성요소의 가격에 대한 공헌도에 따라 영향을 받는다는 원칙

내부의 원칙	수익체증·체감의 원칙	부동산의 단위투자액을 계속적으로 증가시키면, 이에 따라 총수익은 증가되지만 증가되는 단위투자액에 대응하는 수익은 증가하다가 일정한 수준(한계수익의 극대점)을 넘으면 점차 감소하게 된다는 원칙
	수익배분 (잉여생산성)의 원칙	총수익은 노동·자본·토지·경영 등의 각 생산요소에 분배되는데, 노동·자본·경영에 분배되고 남은 잔여분(잉여생산성)은 그 분배가 정당하게 행하여지는 한 토지에 귀속된다는 원칙
외부의 원칙	적합(조화)의 원칙	➡ 경제적 감가 부동산의 수익성 또는 쾌적성이 최고도로 발휘되기 위해서는 대상부동산이 그 주위 환경에 적합하여야 한다는 원칙
	외부성의 원칙	대상부동산의 가치가 외부적 요인에 의해서 영향을 받는다는 원칙
	경쟁의 원칙	초과이윤은 경쟁을 야기하고, 경쟁은 초과이윤을 감소 또는 소멸시킨다는 원칙
기타 원칙	수요·공급의 원칙	부동산의 특성으로 인하여 제약을 받지만 부동산가치도 기본적으로 수요와 공급의 상호관계에 의하여 결정된다는 원칙
	대체의 원칙	부동산의 가치는 대체가 가능한 다른 부동산이나 재화의 가격과의 상호 영향으로 형성된다는 원칙
	기회비용의 원칙	어떤 투자대상의 가치평가를 그 투자대상의 기회비용에 의하여 평가한다는 원칙
최유효(최고·최선)이용의 원칙		① 부동산가치는 최유효이용을 전제로 파악되는 가치를 표준으로 하여 형성된다는 원칙 ➡ 가치 제 원칙 중 가장 중추적인 기능을 담당 ② 최유효이용이란 객관적으로 보아 양식과 통상이 이용능력을 보유하는 사람의 합리적·합법적인 최고·최선의 이용을 말함 ③ 대상부동산의 가치를 평가하는 데 있어 반드시 최유효이용의 원칙을 적용해서 평가해야 함

➕ 최유효이용의 판정기준

구 분		판정기준	조 건
최선의 이용	합리적 이용	투기목적의 이용, 먼 장래의 불확실한 이용이 배제된 현재 또는 가까운 장래에 실질적인 수요가 있는 이용방법으로 경제적으로 타당성이 있는 이용	필요 조건
	합법적 이용	지역지구제, 건축법규, 환경기준 등 법적으로 허용되는 용도	
	물리적 채택 가능성	자연적 조건 및 건축공법의 적용 가능성	
최고의 이용		최고의 수익, 최고의 가치를 창출하는 이용	충분 조건

POINT 15	감정평가 3방식	29회, 30회

↳ 에듀윌 1차 기본서 [부동산학개론] pp.596~598

1 감정평가 3방식의 개요

가격의 3면성	3방식	특 징	평가조건	6방법	시산가액 및 시산임대료
비용성	원가방식 (비용접근법)	공급가격 (투입가치)	시산가액	원가법	적산가액
			시산임료	적산법	적산임료
시장성	비교방식 (시장접근법)	균형가격 (수요·공급가격) (시장가치)	시산가액	거래사례비교법 (매매사례비교법)	비준가액
			시산임료	임대사례비교법	비준임료
수익성	수익방식 (소득접근법)	수요가격 (산출가치)	시산가액	수익환원법	수익가액
			시산임료	수익분석법	수익임료

➕ 시산가액(임료)의 조정

시산가액의 조정이란 3방식에 의하여 구한 시산가액 또는 시산임료를 상호 관련시켜 재검토함으로써 시산가액 상호간의 격차를 조정하는 작업

2 감정평가 3방식 비교

구 분	원가방식(비용접근법)	비교방식(시장접근법)	수익방식(소득접근법)
평가방법	원가법	거래사례비교법	수익환원법
시산가액	적산가액	비준가액	수익가액
적용대상	① 비시장성, 비수익성 부동산 ② 거래사례가 없는 부동산 ㄴ 조성지, 매립지 ③ 건물, 건설기계, 선박, 항공기	① 시장성 있는 부동산 ② 적산가액과 현저한 차이가 있는 건물 ③ 동산, 산림(입목), 과수원, 자동차	① 수익성 부동산 ㄴ 기업용·임대용 부동산 평가에 유용 ② 영업권, 어업권, 광산·광업권, 광업재단
장 점	상각자산에 널리 적용	① 현실적, 실증적, 설득력 ② 3방식 중 중추적 역할 ③ 토지·건물·동산 등의 평가에 널리 활용 ④ 이해하기 쉽고 간편함	장래 발생할 것으로 기대되는 순수익의 현재가치를 구하는 것 ➡ 논리적, 이론적
단 점	① 토지 적용 곤란 ② 시장성과 수익성이 반영되지 못함 ③ 건물평가 시 외부에서 관찰이 불가능한 부분이 있으므로 감가수정 곤란 ④ 재조달원가, 감가액 파악에 기술적 어려움	① 시장성이 없는 것은 적용 곤란 ② 감정평가액의 편차가 큼 ③ 비과학적 ④ 극단적인 호·불황의 국면에서는 적용 곤란 ⑤ 부동산시장이 불완전한 경우나 투기적 요인이 포함된 경우, 사례의 신뢰성 여부가 문제됨	① 비수익성 부동산에는 적용 곤란 ② 수익에 차이가 없는 부동산은 신·구의 구별이 없어짐

POINT 16	원가법 ▶	31회

↳ 에듀윌 1차 기본서 [부동산학개론] pp.602~603

의 의	① 대상물건의 재조달원가에 감가수정(減價修正)을 하여 대상물건의 가액을 산정하는 감정평가방법 ② 부동산의 가치는 감가상각(감가수정)된 가치와 동일하다는 개념
계산식	재조달원가 − 감가누계액 = 적산가액 ⬇ 감가수정
적용대상	비시장성 · 비수익성 상각자산 ➕ 토지는 원칙적으로 적용 불가 ➡ 예외적으로 조성지 또는 매립지인 경우에는 적용 가능

재조달원가 – 재생산비용

↳ 에듀윌 1차 기본서 [부동산학개론] pp.603~607

의 의		대상물건을 기준시점에 재생산하거나 재취득하는 데 필요한 적정원가의 총액
종 류	복제원가	물리적 측면의 원가
	대치원가	효용 측면의 원가
복제원가와 대치원가의 비교		① 이론적 ➡ 대치원가가 더 설득력이 있음 ② 실무적 ➡ 복제원가를 채택하는 것이 더 정확한 가치를 구할 수 있음 ③ 대치원가를 이용할 경우에는 기능적 감가를 하지 않아도 됨
산정기준	건물의 재조달원가	도급건설이든 자가건설이든 도급건설에 준하여 처리 • 건물의 재조달원가 = 표준적 도급건설비용 + 통상부대비용 • 표준적 도급건설비용 = 직접 공사비 + 간접 공사비 + 수급인의 적정이윤
	토지의 재조달원가	조성지·매립지·개간지·간척지 등에 적용

감가수정 – 감가상각의 비교

└ 에듀윌 1차 기본서 [부동산학개론] pp.607~608

1 감가수정의 의의

대상물건에 대한 재조달원가를 감액하여야 할 요인이 있는 경우에 물리적 감가, 기능적 감가 또는 경제적 감가 등을 고려하여 그에 해당하는 금액을 재조달원가에서 공제하여 기준시점에 있어서의 대상물건의 가액을 적정화하는 작업

2 감가상각과 감가수정의 차이점

구 분	감가상각	감가수정
용 어	기업회계, 세무회계	감정평가
적 용	① 취득원가(장부가격) ② 법정 내용연수 ➡ 경과연수 중점 ③ 관찰감가법이 인정되지 않음 ④ 물리적·기능적 감가요인만 취급 ⑤ 잔가율 일정 ⑥ 시장성을 고려하지 않음 ⑦ 감가액이 실제의 감가와 일치하지 않음	① 재조달원가 ② 경제적 내용연수 ➡ 장래 보존연수 중점 ③ 관찰감가법이 인정됨 ④ 물리적·기능적·경제적 감가요인 모두 고려 ⑤ 잔가율이 물건에 따라 다름 ⑥ 감가에 있어 시장성을 고려함 ⑦ 감가액이 실제의 감가와 일치

감가의 요인

↳ 에듀윌 1차 기본서 [부동산학개론] pp.609~611

구 분	종 류	감가의 요인	하 자
내부 요인	물리적 감가요인	대상물건의 물리적 상태 변화에 따른 감가요인 ① 사용으로 인한 마멸 및 파손 ② 시간의 경과에 따른 노후화 ③ 재해 등의 우발적인 사고로 인한 손상	치유 가능 또는 치유 불가능한 하자
	기능적 감가요인 (균형의 원칙)	대상물건의 기능적 효용 변화에 따른 감가요인 ① 건물과 부지의 부적응 ② 형식의 구식화 ③ 설계의 불량 ④ 설비의 과부족 및 능률의 저하	
외부 요인	경제적 감가요인 (적합의 원칙)	인근지역의 경제적 상태, 주위환경, 시장상황 등 대상물건의 가치에 영향을 미치는 경제적 요소들의 변화에 따른 감가요인 ① 부동산과 그 부근 환경과의 부적합 ② 인근지역의 쇠퇴 ③ 대상부동산의 시장성 감퇴	치유 불가능한 하자
	법률적 감가요인	① 소유권 등의 하자 ② 소유권등기의 불완전 ③ 공·사법상의 규제 위반	–

➕ 치유 가능한 감가 & 치유 불가능한 감가

1. 치유 가능한 감가: 가치상승분 > 치유비용
2. 치유 불가능한 감가: 가치상승분 < 치유비용

감가수정의 방법

↳ 에듀윌 1차 기본서 [부동산학개론] pp.611~618

감가수정의 방법	특 징
내용연수에 의한 방법(정액법, 정률법, 상환기금법)	이론감가액
관찰감가법	실제감가액
분해법	

1 내용연수에 의한 방법 – 정액법(직선법, 균등상각법)

의 의	부동산의 감가총액을 단순한 경제적 내용연수로 평분하여 매년의 상각액으로 삼는 방법
특 징	① 매년 일정액씩 감가 ② 감가누계액이 경과연수에 정비례하여 증가
장 점	계산이 간단하고 용이함
단 점	실제의 감가와 불일치
적용대상	건물, 구축물

- 매년 감가액 $= \dfrac{\text{재조달원가} - \text{잔존가액}}{\text{경제적 내용연수}}$
- 감가누계액 $=$ 매년 감가액 $\times$ 경과연수
- 적산가액 $=$ 재조달원가 $-$ 감가누계액

2 내용연수에 의한 방법 – 정률법(잔고점감법, 체감상각법)

의 의	매년 말 가치에 일정한 상각률을 곱하여 매년의 상각액을 구하는 방법
특 징	① 매년 일정률로 감가 ② 상각률 ⇒ 일정, 상각액 ⇒ 점차 감소 ③ 상각액은 첫해에 가장 크고, 재산가치가 체감됨에 따라 상각액도 체감
장 점	능률이 높은 초기에 많이 감가 ⇒ 안전하게 자본 회수
단 점	매년 상각액이 상이하여 매년 상각액이 표준적이지 못함
적용대상	기계·기구 등의 동산 평가

$$적산가액 = 재조달원가 \times (전년\ 대비\ 잔가율)^m$$
$$= 재조달원가 \times (1 - 매년\ 감가율)^m$$

$(m:\ 경과연수)$

3 내용연수에 의한 방법 – 상환기금법(감채기금법, 기금적립법)

의 의	대상부동산의 내용연수가 만료되는 때에 감가누계상당액과 그에 대한 복리계산의 이자 상당액을 포함하여 해당 내용연수로 상환하는 방법
특 징	감가누계액은 정액법보다 적고, 적산가액은 정액법의 경우 보다 많음 (∵ 복리이율에 의한 축적이자 때문에)
장 점	연간 상각액은 아주 적고, 평가액은 타 방법보다 아주 높음
단 점	계산이 복잡함

➕ 적산가액과 감가누계액의 크기
  1. 적산가액이 큰 순서
     • 초기: 상환기금법 > 정액법 > 정률법
     • 말기: 상환기금법 > 정액법 = 정률법
  2. 감가누계액이 큰 순서(초기): 정률법 > 정액법 > 상환기금법

4 관찰감가법(관찰상태법)

의 의	대상부동산 전체 또는 구성부분에 대하여 실태를 조사하여 물리적·기능적·경제적 감가요인과 감가액을 직접 관찰하여 구하는 방법
장 점	대상부동산의 개별상태가 세밀하게 관찰되어 감가수정에 반영됨
단 점	평가주체의 개별적 능력이나 주관에 좌우되기 쉽고, 외부에서 관찰할 수 없는 기술적 하자를 놓치기 쉽기 때문에 타 방법과 병용하는 것이 일반적임

5 분해법

의 의	대상부동산에 대한 감가요인을 물리적·기능적·경제적 요인으로 세분한 후, 이에 대한 감가액을 각각 별도로 측정하고, 이것을 전부 합산하여 감가수정액을 산출하는 방법 ➡ 분해법 또는 내구성 분해방식
장 점	대상부동산의 개별적인 상태가 세밀하게 관찰되어 감가수정에 반영됨
단 점	감정평가사의 개별적인 능력이나 주관이 개입되기 쉽고, 물리적 감가와 기능적 감가를 정확하게 구분하기 어려움

POINT 21 **원가법의 장단점**

↳ 에듀윌 1차 기본서 [부동산학개론] pp.618~619

장 점	단 점
① 건물·기계장치 등 상각자산에 널리 적용 ② 비시장성, 비수익성 부동산에 적용 ③ 조성지, 매립지 등의 토지평가에 유용	① 토지와 같이 재생산이 불가능한 자산에는 적용 곤란 ② 시장성과 수익성이 반영되지 못함 ③ 건축물 등 구조물 평가 시 외부에서 관찰이 불가능한 부분이 있으므로 감가수정이 곤란 ④ 재조달원가, 감가액을 파악하는 데 기술적 어려움이 많음

$_{D~A~Y}$ 06 기출지문 CHECK

01 감정평가는 기준시점에서의 대상물건의 이용상황(불법적이거나 일시적인 이용은 제외한다) 및 공법상 제한을 받는 상태를 기준으로 한다. •27회 (O | X)

02 기준시점은 대상물건의 가격조사를 개시한 날짜로 한다. 다만, 기준시점을 미리 정하였을 때에는 그 날짜에 가격조사가 가능한 경우에만 기준시점으로 할 수 있다. •30회 (O | X)

03 「감정평가에 관한 규칙」상의 용어에서 '기준시점'이란 대상물건의 감정평가액을 결정하기 위해 현장조사를 완료한 날짜를 말한다. •24회 •28회 (O | X)

04 둘 이상의 대상물건이 일체로 거래되거나 대상물건 상호간에 용도상 불가분의 관계가 있는 경우에는 구분하여 감정평가할 수 있다. •27회 (O | X)

05 하나의 대상물건이라도 가치를 달리하는 부분은 이를 구분하여 감정평가할 수 있다. •27회 •30회 (O | X)

06 가격은 대상부동산에 대한 현재의 값이지만, 가치는 장래 기대되는 편익을 예상한 미래의 값이다. •25회 (O | X)

07 가치는 효용에 중점을 두며, 장래 기대되는 편익은 금전적인 것뿐만 아니라 비금전적인 것을 포함할 수 있다. •25회 (O | X)

08 가격발생요인인 효용, 유효수요, 상대적 희소성 중 하나만 있어도 가격이 발생한다. •22회 (O | X)

> **정답**
> **01** O   **02** X (개시한 → 완료한)   **03** X (대상물건의 감정평가액을 결정하기 위해 현장조사를 완료한 날짜 → 대상물건의 감정평가액을 결정하는 기준이 되는 날짜)   **04** X (구분 → 일괄)   **05** O   **06** X (현재의 → 과거의, 미래의 값 → 현재가치로 환원한 현재의 값)   **07** O   **08** X (상호결합하여 부동산가격이 발생한다)

09 유효수요란 대상부동산을 구매하고자 하는 욕구로, 지불능력(구매력)을 필요로 하는 것은 아니다.
• 24회 (O ¦ X)

10 시장가치란 한정된 시장에서 성립될 가능성이 있는 대상물건의 최고가액을 말한다. • 27회 • 28회
(O ¦ X)

11 감정평가법인등은 법령에 다른 규정이 있는 경우, 감정평가의뢰인이 요청하는 경우, 감정평가의 목적이나 대상물건의 특성에 비추어 사회통념상 필요하다고 인정되는 경우에는 대상물건의 감정평가액을 시장가치 외의 가치를 기준으로 결정할 수 있다. • 21회 • 27회 (O ¦ X)

12 투자가치는 투자자가 대상부동산에 대해 갖는 주관적인 가치의 개념이다. • 23회 (O ¦ X)

13 과세가치는 정부에서 소득세나 재산세를 부과하는 데 사용되는 기준이 된다. • 23회 (O ¦ X)

14 지역분석에 있어서 중요한 대상은 인근지역, 유사지역 및 동일수급권이다. • 27회 (O ¦ X)

15 「감정평가에 관한 규칙」상 동일수급권은 대상부동산과 대체 · 경쟁관계가 성립하고 가치형성에 서로 영향을 미치는 관계에 있는 다른 부동산이 존재하는 권역을 말하며, 인근지역과 유사지역을 포함한다.
• 21회 • 28회 • 30회 (O ¦ X)

16 지역분석은 대상부동산에 대한 미시적 · 국지적 분석인 데 비하여, 개별분석은 대상지역에 대한 거시적 · 광역적 분석이다. • 30회 (O ¦ X)

17 개별분석은 지역분석보다 선행되는 것이 일반적이다. • 27회 (O ¦ X)

정답
09 X (필요로 하는 것은 아니다 → 필요로 한다) **10** X (시장가치는 감정평가의 대상이 되는 토지 등이 통상적인 시장에서 충분한 기간 동안 거래를 위하여 공개된 후, 그 대상물건의 내용에 정통한 당사자 사이에 신중하고 자발적인 거래가 있을 경우 성립될 가능성이 가장 높다고 인정되는 대상물건의 가액을 말한다) **11** O **12** O **13** O **14** O **15** O **16** X (지역분석 ↔ 개별분석) **17** X (개별분석 ↔ 지역분석)

18 균형의 원칙은 내부적 관계의 원칙인 적합의 원칙과는 대조적인 의미로, 부동산 구성요소의 결합에 따른 최유효이용을 강조하는 것이다. •23회 (O | X)

19 대체의 원칙은 부동산의 가격이 대체관계의 유사부동산으로부터 영향을 받는다는 점에서, 거래사례비교법의 토대가 될 수 있다. •26회 (O | X)

20 판매시설 입점부지 선택을 위해 후보지역분석을 통해 표준적 사용을 확인하는 경우는 감정평가이론상 부동산가격원칙 중 변동의 원칙과 관련이 있다. •28회 (O | X)

21 「감정평가에 관한 규칙」상 원가방식은 원가법 및 적산법 등 비용성의 원리에 기초한 감정평가방식이다. •29회 (O | X)

22 「감정평가에 관한 규칙」상 수익방식은 수익환원법 및 수익분석법 등 수익성의 원리에 기초한 감정평가방식이다. •29회 (O | X)

23 3가지 평가방식을 적용시켜 각각 산출한 가격이 대상부동산의 최종 평가가격이다. •21회 (O | X)

24 원가법이란 대상물건의 재조달원가에 사정보정과 시점수정을 하여 대상물건의 가액을 산정하는 감정평가방법을 말한다. •26회 (O | X)

25 「감정평가에 관한 규칙」상 감가수정이란 대상물건에 대한 재조달원가를 감액하여야 할 요인이 있는 경우에 물리적 감가, 기능적 감가 또는 경제적 감가 등을 고려하여 그에 해당하는 금액을 재조달원가에 가산하여 기준시점에 있어서의 대상물건의 가액을 적정화하는 작업을 말한다. •28회 (O | X)

26 감가수정의 방법 중 건물의 내용연수가 만료될 때의 감가누계상당액과 그에 대한 복리계산의 이자상당액분을 포함하여 해당 내용연수로 상환하는 방법을 상환기금법이라 한다. •23회 (O | X)

정답
18 X (내부적 → 외부적) 19 O 20 X (변동의 원칙 → 적합의 원칙) 21 O 22 O 23 X (최종 평가가격 → 시산가액) 24 X (사정보정과 시점수정 → 감가수정) 25 X (재조달원가에 가산하여 → 재조달원가에서 공제하여) 26 O

| POINT 22 | **적산법** | 27회, 28회 |

↳ 에듀윌 1차 기본서 [부동산학개론] pp.619~623

1 의 의

대상물건의 기초가액에 기대이율을 곱하여 산정한 기대수익에 대상물건을 계속하여 임대하는 데 필요한 경비를 더하여 대상물건의 임대료(사용료 포함)를 산정하는 감정평가방법

적산임료 = (기초가액 × 기대이율) + 필요제경비

2 적용방법

기초가액	적산임료를 구하는 기초(원본)가 되는 가액
기대이율	임대차 등에 제공되는 물건을 재취득 또는 재조달하는 데 투입된 자본에 대하여 임대차의 기간 동안 계약에 따른 사용수익에 따라 기대되는 수익의 비율 $$기대이율 = \frac{순수익}{투입자본} = \frac{임대차료 - 필요제경비}{기초가액}$$

3 필요제경비

감가상각비	물리적·기능적·경제적 가치 감소분 포함
유지관리비	① 수익적 지출인 수선비와 영업비 지출은 포함 ② 자본적 지출인 대수선비와 자본비 지출은 불포함 공익비(공용부분)·부가사용료(전용부분) ➡ 별도 계산
조세공과	① 임대자산에 부과되는 조세: 재산세, 수익자부담금 포함 ② 임대소득에 부과되는 조세: 소득세, 법인세, 취득세 불포함
손해보험료	비소멸성 보험료 불포함
결손준비비	임대보증금 수수 시 불포함
공실손실 상당액	만실 예상 시 불포함
정상운전 자금이자	① 정상적인 운영자금에 대한 이자 포함 ② 대상부동산의 일부를 구성하는 자금이자, 1년 이상의 장기차입금이자, 임대인의 자기자금 이자 불포함

↳ 에듀윌 1차 기본서 [부동산학개론] pp.624~635

1 의 의

대상물건과 가치형성요인이 같거나 비슷한 물건의 거래사례와 비교하여 대상물건의 현황에 맞게 사정보정(事情補正), 시점수정, 가치형성요인 비교 등의 과정을 거쳐 대상물건의 가액을 산정하는 감정평가방법

> 비준가액 = 사례가액 × (사정보정치 × 시점수정치 × 지역요인비교치 × 개별요인비교치 × 면적)

2 거래사례의 수집 및 선택

사정보정의 가능성	사례자료는 거래사정이 정상적이라고 인정되거나 부득이한 경우에는 정상적인 것으로 보정이 가능한 사례이어야 함
시점수정의 가능성 (시간적 유사성)	부동산의 가치는 변동의 과정에 있으므로 사례자료는 거래시점이 분명하여야 하고, 기준시점까지의 가치변동에 관한 자료를 구할 수 있는 것이어야 함
지역요인의 비교가능성 (위치의 유사성)	사례자료는 대상부동산과 동일성 또는 유사성이 있는 인근지역 또는 동일수급권 내의 유사지역에 존재하는 부동산이어야 함 ➡ 지리적 위치의 접근성보다는 용도적·기능적 접근성을 보다 중시하여 사례를 선택함 ➡ 인근지역과 사례지역의 표준적 이용을 비교
개별요인의 비교가능성 (물적 유사성)	사례부동산과 대상부동산의 개별적 요인이 동일성 또는 유사성 있는 사례이어야 함

3 사정보정(매매상황 및 조건에 대한 수정)

의 의	가치의 산정에 있어서 수집된 거래사례에 거래관계자의 특수한 사정 또는 개별적인 동기가 개재되어 있거나 시장사정에 정통하지 못하여 그 가치가 적정하지 아니하였을 때, 그러한 사정이 없었을 경우의 가액수준으로 정상화하는 작업
사정보정 시 유의점	사정보정은 거래당사자간의 비정상적인 거래에 대한 보정이므로 보정 시 증액 또는 감액해야 할 사정을 정확하게 판단해야 함 ① 높게 거래가 된 사례 ➡ 보정 시 감액 ② 낮게 거래가 된 사례 ➡ 보정 시 증액
사정보정의 산정	$$사정보정치 = \frac{대상부동산}{사례부동산}$$ ➕ 보정방법 　1. 보정대상: ~이, ~가 　　┌ 우세, 고가 ➡ 100 + α 　　└ 열세, 저가 ➡ 100 - α 　2. 비교대상: ~보다 ➡ 100
사정보정을 하지 않아도 되는 경우	① 특별한 사정이 개입되지 않은 거래사례(대표성이 있는 거래사례) ② 표준지공시지가를 기준으로 평가할 경우

4 시점수정(시장상황에 대한 수정)

의 의	거래사례자료의 거래시점과 대상부동산의 기준시점이 시간적으로 불일치하여 가격수준의 변동이 있을 경우에 거래사례가액을 기준시점으로 정상화하는 작업	
시점 수정 방법	지수법	시점수정치 = $\dfrac{\text{기준시점의 지수}}{\text{거래시점의 지수}}$
	변동률 적용법	시점수정치 = $(1 \pm R)^n$ (R: 1전화기간의 물가변동률, n: 물가변동의 전화횟수)
시점수정을 하지 않아도 되는 경우	① 기준시점과 거래시점이 동일한 경우 ← 소급평가의 경우 ② 기준시점과 거래시점이 달라도 시장상황이 변하지 않아 가치가 불변인 경우	

5 지역요인과 개별요인의 비교

의 의	적절히 선택된 사례자료는 시점수정과 사정보정을 거쳐 지역요인과 개별요인을 비교하여 적정한 비준가액을 산정
사례부동산이 인근지역의 것일 때	지역적 요인은 동일하므로 개별적 요인만을 비교하여 그 개별 격차를 판정
사례부동산이 유사지역의 것일 때	사례부동산과 대상부동산의 지역적 요인을 비교하여 그 지역 격차를 판정하고, 다시 개별적 요인을 비교하여 개별 격차를 판정

6 배분법

의 의	복합부동산의 사례가격에서 사례자료를 구하는 방법
공제방식 (abstraction method)	복합부동산의 사례가격에서 대상부동산과 다른 유형에 해당하는 부분의 가격을 공제하여 대상부동산과 같은 유형만을 활용하는 방식
비율방식 (allocation method)	복합부동산의 사례가격에 대상부동산과 같은 유형부분의 구성비율을 곱하여 대상부동산과 같은 유형의 사례자료를 구하는 방식

7 거래사례비교법의 장단점

장 점	단 점
① 현실적, 실증적, 설득력 있음 ② 3방식 중 중추적 역할을 함 ③ 토지, 건물, 동산 등의 평가에 널리 활용 ④ 이해하기 쉽고 간편함	① 시장성이 없는 것에는 적용 곤란 ② 감정가액의 편차가 큼 ③ 비과학적 ④ 극단적인 호·불황의 국면에서는 적용 곤란 ⑤ 부동산시장이 불완전한 경우, 투기적 요인이 포함된 경우 ➡ 거래사례의 신뢰성 여부가 의문

임대사례비교법

↳ 에듀윌 1차 기본서 [부동산학개론] pp.635~637

의 의	대상물건과 가치형성요인이 같거나 비슷한 물건의 임대사례와 비교하여 대상물건의 현황에 맞게 사정보정, 시점수정, 가치형성요인 비교 등의 과정을 거쳐 대상물건의 임대료를 산정하는 감정평가방법 비준임료 = 사례임료 × (사정보정치 × 시점수정치 × 지역요인비교치 × 개별요인비교치 × 면적)
임대사례 선택기준	① 사정보정의 가능성 ② 시점수정의 가능성 ③ 지역요인의 비교가능성 ④ 개별요인의 비교가능성 ⑤ 계약내용의 비교성: 계약내용에 있어 동일성 내지 유사성을 갖는 사례를 선택 ⑥ 임대사례에 의한 임대료의 기준: 임대료는 계약의 내용·조건·명목 여하에 관계없이 최근 신규계약에 의해 초회에 지불되는 실질임료를 기준으로 함
임대료 기준시점	임대개시시점

공시지가기준법 ▶   30회, 31회

↳ 에듀윌 1차 기본서 [부동산학개론] pp.639~640

의 의	대상토지와 가치형성요인이 같거나 비슷하여 유사한 이용가치를 지닌다고 인정되는 표준지(비교표준지)의 공시지가를 기준으로 대상토지의 현황에 맞게 시점수정, 지역요인 및 개별요인 비교, 그 밖의 요인의 보정(補正)을 거쳐 대상토지의 가액을 산정하는 감정평가방법
감정평가순서	① 비교표준지 선정 ② 시점수정 ③ 지역요인 비교 ④ 개별요인 비교 ⑤ 그 밖의 요인 보정

POINT 26 **수익환원법** ▶   28회, 29회, 30회, 31회

↳ 에듀윌 1차 기본서 [부동산학개론] pp.642~652

1 의의 및 적용

의 의	대상물건이 장래 산출할 것으로 기대되는 순수익이나 미래의 현금흐름을 환원하거나 할인하여 대상물건의 가액을 산정하는 감정평가방법 $$수익가액 = \frac{순수익}{환원(이)율} = \frac{총수익 - 총비용}{환원(이)율}$$
적 용	수익성에 바탕을 두므로 임대용 부동산이나 기업용 부동산의 가치를 구하는 데 유용 ➡ 수익성이 없는 주거용·교육용·공공용 부동산의 평가에는 적용 불가

2 환원방법

수익환원법으로 감정평가할 때에는 직접환원법이나 할인현금흐름분석법 중에서 감정평가목적이나 대상물건에 적절한 방법을 선택하여 적용

직접환원법	단일기간의 순수익을 적절한 환원율로 환원하여 대상물건의 가액을 산정하는 방법
할인현금 흐름분석법	대상물건의 보유기간에 발생하는 복수기간의 순수익(현금흐름)과 보유기간 말의 복귀가액에 적절한 할인율을 적용하여 현재가치로 할인한 후 더하여 대상물건의 가액을 산정하는 방법

3 순수익 ➡ 순영업소득

의 의	대상물건을 통하여 일정기간에 획득할 총수익에서 그 수익을 발생시키는 데 소요되는 경비를 공제한 금액 ➡ 순영업소득
산정방법	① 대상물건에 귀속하는 적절한 수익으로서 유효총수익에서 운영경비를 공제하여 산정 ② 유효총수익은 다음의 사항을 합산한 가능총수익에 공실손실상당액 및 대손충당금을 공제하여 산정 　㉠ 보증금(전세금) 운용수익 　㉡ 연간 임대료 　㉢ 연간 관리비 수입 　㉣ 주차수입, 광고수입, 그 밖에 대상물건의 운용에 따른 주된 수입 ③ 운영경비는 다음의 사항을 더하여 산정 　㉠ 용역인건비 · 직영인건비 　㉡ 수도광열비 　㉢ 수선유지비 　㉣ 세금 · 공과금 　㉤ 보험료 　㉥ 대체충당금 　㉦ 광고선전비 등 그 밖의 경비

	포함 항목	불포함 항목
운영경비 항목	① 건물 유지수선비 ② 수익자 부담금 ③ 건물분 재산세, 종합부동산세 등 보유와 관련된 각종 제세공과금 ④ 화재보험료 등 건물유지·보수와 관련된 손해보험료	① 취득세 ② 공실 및 대손충당금 ③ 부채서비스액 ④ 소득세, 법인세 ⑤ 감가상각비

4 환원율과 할인율의 산정

- 환원(이)율(자본환원율) = $\dfrac{\text{순영업소득}}{\text{부동산가치}} \times 100(\%)$
- 토지의 자본환원율 = 자본수익률
- 건물의 자본환원율 = 자본수익률 + 자본회수율
- 자본회수율 = $\dfrac{1}{\text{경제적 잔존내용연수}}$

① 직접환원법에서 사용할 환원율은 시장추출법으로 구하는 것을 원칙으로 함
② 할인현금흐름분석법에서 사용할 할인율은 투자자조사법(지분할인율), 투자결합법(종합할인율), 시장에서 발표된 할인율 등을 고려하여 대상물건의 위험이 적절히 반영되도록 결정하되, 추정된 현금흐름에 맞는 할인율을 적용

5 환원(이)율 구하는 방법

구 분	내 용	특 징
시장추출법 (시장비교방식)	대상부동산과 유사성 있는 거래사례로부터 순수익을 구하여 사정보정, 시점수정 등을 거쳐 환원이율을 추출	
조성법 (요소구성법)	① 환원이율 = 순수이율 ± 부동산투자활동의 위험률 ② 이론적으로는 타당성 있으나 주관이 개입할 가능성이 큼	
투자결합법 (이자율 합성법)	① 물리적 투자결합법 　　종합환원이율 = [토지환원(이)율 × 토지가치구성비] 　　　　　　　　 + [건물환원(이)율 × 건물가치구성비] ② 금융적 투자결합법 　　종합환원이율 = (지분환원율 × 지분비율) + (저당환원율 　　　　　　　　 × 저당비율)	–
저당지분방식 (엘우드법)	① 금융적 투자결합법을 개량 ② 저당조건을 고려(○), 세금을 고려(×) ③ 매 기간 동안의 현금흐름, 기간 말 부동산의 가치증감분, 보유기간 동안의 지분형성분의 세 가지 요소가 자본환원율에 미치는 영향으로 구성됨	지분투자자 입장
부채감당법	자본환원율 = 부채감당률 × 대부비율 × 저당상수	저당투자자 입장

6 수익환원법의 장단점

장 점	단 점

① 수익성 부동산의 평가에 유용
② 장래 발생할 것으로 기대되는 순수익의 현재
  가치를 구하는 것 ➡ 논리적, 이론적
	① 비수익성 부동산에는 적용이 곤란
	② 수익에 차이가 없는 부동산은 신·구의 구별
	  이 없어짐
	③ 시장이 불안정한 곳에서는 순수익과 환원이율
	  의 적정한 파악 곤란
	④ 시장이 안정되어 있지 못한, 상·하향 시장이
	  극단적인 경우에는 적용 곤란

POINT 27	수익분석법	27회

의 의	일반기업경영에 의하여 산출된 총수익을 분석하여 대상물건이 일정기간에 산출할 것 으로 기대되는 순수익을 구한 후, 대상물건을 계속하여 임대하는 데 필요한 경비를 가 산하여 대상물건의 임대료를 산정하는 방법 수익임료 = 순수익 + 필요제경비
성립근거	수익성의 사고방식에 기초, 수익배분의 원칙에 근거함
적용범위	일반기업경영에 의한 기업용 부동산에만 적용되며, 주거용 부동산 또는 임대용 부동산 은 수익분석법의 적용대상이 아님

물건별 감정평가

↳ 에듀윌 1차 기본서 [부동산학개론] pp.662~667

구 분	물건내용	감정평가방식	
		원 칙	예 외
토 지	토 지	공시지가기준법 적용	적절한 실거래가 기준 ➡ 거래사례비교법 적용
	산 림	① 산지와 입목 ➡ 구분평가 적용 ② 입목 ➡ 거래사례비교법 적용 ③ 소경목림 ➡ 원가법 적용	산지와 입목 ➡ 일괄평가 시에는 거래사례비교법 적용
	과수원	거래사례비교법 적용	–
건 물	건 물	원가법 적용	–
의제 부동산	자동차	거래사례비교법 적용	해체처분가액(효용가치가 없는 경우)
	건설기계	원가법 적용	해체처분가액(효용가치가 없는 경우)
	선 박	원가법 적용 ➡ 선체, 기관, 의장(艤裝)별로 구분평가	해체처분가액(효용가치가 없는 경우)
	항공기	원가법 적용	해체처분가액(효용가치가 없는 경우)
	공장재단	개별물건의 감정평가액 합산	수익환원법 적용(계속적인 수익이 예상되는 경우)
	광업재단	수익환원법 적용	–
동 산	동 산	거래사례비교법 적용	해체처분가액(효용가치가 없는 경우)

무형 고정 자산	광업권	광업재단의 수익가액 – 해당 광산 현 존시설 가액	–
	어업권	어장 전체에 대한 수익가액 – 해당 어장 현존시설 가액	–
	영업권 등	수익환원법 적용	–
임대료	임대료	임대사례비교법 적용	–

➕ 소음·진동·일조침해 또는 환경오염 등으로 대상물건에 직접적 또는 간접적인 피해가 발생하여 대상물건의 가
치가 하락한 경우, 그 가치하락분을 감정평가할 때에 소음 등이 발생하기 전의 대상물건의 가액 및 원상회복비용
등을 고려하여야 함

➕ 「집합건물의 소유 및 관리에 관한 법률」에 따른 구분소유권의 대상이 되는 건물부분과 그 대지사용권을 일괄하여
감정평가하는 경우 등 토지와 건물을 일괄하여 감정평가할 때에는 거래사례비교법을 적용하여야 함 ➡ 이 경우
감정평가액은 합리적인 기준에 따라 토지가액과 건물가액으로 구분하여 표시할 수 있음

POINT 29 **부동산가격공시제도**

↳ 에듀윌 1차 기본서 [부동산학개론] pp.679~714

구 분			공시주체
공시지가 제도	표준지공시지가		국토교통부장관
	개별공시지가		시장·군수·구청장
주택가격 공시제도	난독주택	표준주택가격	국토교통부장관
		개별주택가격	시장·군수·구청장
	공동주택		국토교통부장관
비주거용 부동산가격 공시제도	비주거용 일반부동산 가격공시제도	비주거용 표준부동산 가격공시	국토교통부장관
		비주거용 개별부동산 가격공시	시장·군수·구청장
	비주거용 집합부동산 가격공시제도		국토교통부장관

표준지공시지가

↳ 에듀윌 1차 기본서 [부동산학개론] pp.680~688

의 의	국토교통부장관이 조사·평가하고 중앙부동산가격공시위원회의 심의를 거쳐 매년 공시한 공시기준일 현재의 표준지 단위면적당 적정가격
공시기준일	매년 1월 1일
공시사항	① 표준지의 지번 ② 표준지의 단위면적당 가격 ③ 표준지의 면적 및 형상 ④ 표준지 및 주변토지의 이용사항 ⑤ 표준지에 대한 지목, 용도지역, 도로상황 ⑥ 그 밖에 표준지공시지가 공시에 필요한 사항
효 력	① 토지시장의 지가정보 제공 ② 일반적인 토지거래의 지표 ③ 국가 등에 의한 지가산정의 기준 ④ 개별토지의 평가기준
이의신청	공시일부터 30일 이내에 서면(전자문서 포함)으로 국토교통부장관에게 이의신청

개별공시지가

↳ 에듀윌 1차 기본서 [부동산학개론] pp.689~691

의 의	시장·군수 또는 구청장이 절차에 따라 대상토지의 가격을 산정한 후, 시·군·구 부동산가격공시위원회의 심의를 거쳐 국토교통부장관의 확인을 받아 결정·공시한 공시기준일 현재 관할 구역 안의 개별토지의 단위면적당 가격
공시일	시장·군수·구청장이 매년 5월 31일까지 결정·공시

활용	① 토지 관련 국세의 부과기준 ② 지방세의 과세시가표준액의 조정자료 ③ 개발부담금 등 각종 부담금의 부과기준
이의신청	개별공시지가의 결정·공시일부터 30일 이내에 서면으로 시장·군수 또는 구청장에게 이의신청

➕ 표준지로 선정된 토지에 대해서는 해당 토지의 표준지공시지가를 개별공시지가로 봄. 따라서 표준지로 선정된 토지에 대하여 개별공시지가를 결정·공시하지 아니할 수 있음

POINT 32	**표준주택가격의 공시**	27회, 28회

↳ 에듀윌 1차 기본서 [부동산학개론] pp.694~698

의 의	국토교통부장관이 조사·평가하고 중앙부동산가격공시위원회의의 심의를 거쳐 매년 공시한 공시기준일 현재의 표준주택의 적정가격
공시기준일	매년 1월 1일
공시사항	① 표준주택의 지번 ② 표준주택가격 ③ 표준주택의 대지면적 및 형상 ④ 표준주택의 용도, 연면적, 구조 및 사용승인일 ⑤ 표준주택의 토지에 대한 지목, 용도지역, 도로상황 ⑥ 그 밖에 표준주택가격 공시에 필요한 사항
이의신청	공시일부터 30일 이내에 서면(전자문서 포함)으로 국토교통부장관에게 이의신청

개별주택가격의 공시

↳ 에듀윌 1차 기본서 [부동산학개론] pp.698~700

의의	시장·군수 또는 구청장이 시·군·구 부동산가격공시위원회의 심의를 거쳐 결정·공시한 매년 표준주택가격의 공시기준일 현재 관할 구역 안의 개별주택의 가격
공시일	시장·군수·구청장이 매년 4월 30일까지 결정·공시
공시사항	① 개별주택의 지번 ② 개별주택가격 ③ 개별주택의 용도 및 면적 ④ 그 밖에 개별주택가격 공시에 필요한 사항
이의신청	개별주택가격의 결정·공시일부터 30일 이내에 서면으로 시장·군수 또는 구청장에게 이의신청

공동주택가격의 공시   27회

↳ 에듀윌 1차 기본서 [부동산학개론] pp.700~702

의의	국토교통부장관이 공동주택에 대하여 매년 공시기준일 현재의 적정가격을 조사·산정하여 중앙부동산가격공시위원회의 심의를 거쳐 공시하는 가격
공시기준일	매년 1월 1일
공시일	매년 4월 30일까지 결정·공시
공시사항	① 공동주택의 소재지, 명칭, 동·호수 ② 공동주택가격 ③ 공동주택의 면적 ④ 그 밖에 공동주택가격 공시에 필요한 사항
이의신청	공시일부터 30일 이내에 서면(전자문서 포함)으로 국토교통부장관에게 이의신청

주택가격공시의 효력

↳ 에듀윌 1차 기본서 [부동산학개론] pp.702

1 표준주택가격

국가·지방자치단체 등이 그 업무와 관련하여 개별주택가격을 산정하는 경우에 그 기준이 됨

2 개별주택가격 및 공동주택가격

주택시장의 가격정보를 제공하고, 국가·지방자치단체 등이 과세 등의 업무와 관련하여 주택의 가격을 산정하는 경우에 그 기준으로 활용될 수 있음

비주거용 부동산가격의 공시

↳ 에듀윌 1차 기본서 [부동산학개론] pp.704~709

1 구 분

주택을 제외한 건축물이나 건축물과 그 토지의 전부 또는 일부를 말하며, 비주거용 집합부동산과 비주거용 일반부동산으로 구분함

비주거용 집합부동산	「집합건물의 소유 및 관리에 관한 법률」에 따라 구분소유되는 비주거용 부동산
비주거용 일반부동산	비주거용 집합부동산을 제외한 비주거용 부동산

2 비주거용 표준부동산가격의 공시

의 의	국토교통부장관이 용도지역, 이용상황, 건물구조 등이 일반적으로 유사하다고 인정되는 일단의 비주거용 일반부동산 중에서 선정한 비주거용 표준부동산에 대하여 매년 공시기준일 현재의 적정가격

공시기준일	매년 1월 1일
공시사항	① 비주거용 표준부동산의 지번 ② 비주거용 표준부동산가격 ③ 비주거용 표준부동산의 대지면적 및 형상 ④ 비주거용 표준부동산의 용도, 연면적, 구조 및 사용승인일 ⑤ 비주거용 표준부동산의 지목, 용도지역, 도로상황 ⑥ 그 밖에 비주거용 표준부동산가격 공시에 필요한 사항
이의신청	공시일부터 30일 이내에 서면(전자문서 포함)으로 국토교통부장관에게 이의 신청

3 비주거용 개별부동산가격의 공시

의 의	시장·군수 또는 구청장이 시·군·구 부동산가격공시위원회의 심의를 거쳐 결정·공시한 매년 비주거용 표준부동산가격의 공시기준일 현재 관할 구역 안의 비주거용 개별부동산의 가격
공시일	시장·군수·구청장이 매년 4월 30일까지 결정·공시
공시사항	① 비주거용 부동산의 지번 ② 비주거용 부동산가격 ③ 비주거용 개별부동산의 용도 및 면적 ④ 그 밖에 비주거용 개별부동산가격 공시에 필요한 사항
이의신청	비주거용 개별부동산가격의 결정·공시일부터 30일 이내에 서면으로 시장·군수 또는 구청장에게 이의신청

4 비주거용 집합부동산가격의 공시

의 의	국토교통부장관이 비주거용 집합부동산에 대하여 조사·산정한 매년 공시기준일 현재의 적정가격
공시기준일	매년 1월 1일
공시일	매년 4월 30일까지 결정·공시
공시사항	① 비주거용 집합부동산의 소재지·명칭·동·호수 ② 비주거용 집합부동산가격 ③ 비주거용 집합부동산의 면적 ④ 그 밖에 비주거용 집합부동산가격 공시에 필요한 사항
이의신청	공시일부터 30일 이내에 서면(전자문서 포함)으로 국토교통부장관에게 이의 신청

5 비주거용 부동산가격공시의 효력

① 비주거용 표준부동산가격은 국가·지방자치단체 등이 그 업무와 관련하여 비주거용 개별부동산가격을 산정하는 경우에 그 기준이 됨
② 비주거용 개별부동산가격 및 비주거용 집합부동산가격은 비주거용 부동산시장에 가격정보를 제공하고, 국가·지방자치단체 등이 과세 등의 업무와 관련하여 비주거용 부동산의 가격을 산정하는 경우에 그 기준으로 활용될 수 있음

01 임대료 감정평가방법 중 적산법의 공식은 '적산임료 = 기초가액 × 환원이율 + 필요제경비'이다. •27회
(O | X)

02 「감정평가에 관한 규칙」상 적산법은 대상물건의 기초가액에 기대이율을 곱하여 산정된 기대수익에 대상물건을 계속하여 임대하는 데에 필요한 경비를 더하여 대상물건의 임대료를 산정하는 감정평가방법을 말한다. •28회
(O | X)

03 거래사례비교법이란 대상물건과 가치형성요인이 같거나 비슷한 물건의 거래사례와 비교하여 대상물건의 현황에 맞게 사정보정, 시점수정, 가치형성요인 비교 등의 과정을 거쳐 대상물건의 가액을 산정하는 감정평가방법을 말한다. •29회
(O | X)

04 거래사례비교법을 적용할 때 사정보정, 시점수정, 가치형성요인 비교 등의 과정을 거친다. •26회
(O | X)

05 임대료 감정평가방법 중 임대사례비교법에서 '기대이율 = 임대사례의 임대료 × 사정보정치 × 시점수정치 × 지역요인비교치 × 개별요인비교치'이다. •27회
(O | X)

06 토지를 평가하는 공시지가기준법은 표준지공시지가를 기준으로 한다. •26회
(O | X)

07 공시지가기준법을 적용할 때 비교표준지 공시지가를 기준으로 시점수정, 지역요인 및 개별요인 비교, 그 밖의 요인의 보정 과정을 거친다. •31회
(O | X)

 정답 **01** X (환원이율 → 기대이율)   **02** O   **03** O   **04** O   **05** X (기대이율 → 비준임료)   **06** O   **07** O

08 「감정평가에 관한 규칙」에서 수익환원법이란 대상물건이 장래 산출할 것으로 기대되는 순수익이나 미래의 현금흐름을 환원하거나 할인하여 대상물건의 가액을 산정하는 감정평가방법을 말한다. • 29회

(O ¦ X)

09 수익분석법이란 대상물건이 장래 산출할 것으로 기대되는 순수익이나 미래의 현금흐름을 환원하거나 할인하여 대상물건의 가액을 산정하는 감정평가방법을 말한다. • 26회 (O ¦ X)

10 임대료 감정평가방법 중 수익환원법의 공식은 '수익임료＝순수익＋필요제경비'이다. • 27회 (O ¦ X)

11 감정평가법인등은 건물을 감정평가할 때에 거래사례비교법을 적용해야 한다. • 25회 (O ¦ X)

12 「감정평가에 관한 규칙」상 과수원의 주된 감정평가방법은 공시지가기준법을 적용하여야 한다. • 31회

(O ¦ X)

13 임대료를 평가할 때는 적산법을 주된 평가방법으로 적용한다. • 26회 (O ¦ X)

14 감정평가법인등은 건설기계를 감정평가할 때에 거래사례비교법을 적용해야 한다. • 28회 (O ¦ X)

15 표준지공시지가의 공시기준일은 원칙적으로 매년 1월 1일이다. • 26회 (O ¦ X)

16 표준지공시지가에 이의가 있는 자는 그 공시일부터 30일 이내에 서면으로 국토교통부장관에게 이의를 신청할 수 있다. • 30회 (O ¦ X)

17 표준지공시지가에 대한 이의신청의 내용이 타당하다고 인정될 때에는 해당 표준지공시지가를 조정하여 다시 공시하여야 한다. • 28회 (O ¦ X)

정답 08 O   09 X (수익분석법 → 수익환원법)   10 X (수익환원법 → 수익분석법)   11 X (거래사례비교법 → 원가법)
12 X (공시지가기준법 → 거래사례비교법)   13 X (적산법 → 임대사례비교법)   14 X (거래사례비교법 → 원가법)
15 O   16 O   17 O

18 표준지로 선정된 토지에 대하여 개별공시지가를 결정·공시하여야 한다. •30회 (O ¦ X)

19 개별공시지가에 대하여 이의가 있는 자는 개별공시지가의 결정·공시일부터 60일 이내에 서면으로 국토교통부장관에게 이의를 신청할 수 있다. •24회 (O ¦ X)

20 개별공시지가를 결정하기 위해 토지가격비준표가 활용된다. •26회 (O ¦ X)

21 표준주택을 선정할 때에는 일반적으로 유사하다고 인정되는 일단의 단독주택 및 공동주택에서 해당 일단의 주택을 대표할 수 있는 주택을 선정하여야 한다. •28회 (O ¦ X)

22 표준주택가격을 평가하는 경우에 표준주택에 전세권 그 밖의 주택의 사용·수익을 제한하는 권리가 설정되어 있는 경우에는 해당 권리가 존재하지 아니하는 것으로 보고 적정가격을 평가하여야 한다.
  •22회 (O ¦ X)

23 표준주택으로 선정된 주택에 대해서도 개별주택가격을 산정한다. •25회 (O ¦ X)

24 표준주택으로 선정된 주택에 대하여는 해당 표준주택가격을 개별주택가격으로 본다. •25회 (O ¦ X)

25 부동산 가격공시에 관한 법령에 따라 공시한 공동주택가격은 주택시장의 가격정보를 제공하고, 국가·지방자치단체 등의 기관이 과세 등의 업무와 관련하여 주택의 가격을 산정하는 경우에 그 기준으로 활용될 수 있다. •27회 (O ¦ X)

26 국가·지방자치단체 등이 과세 등의 업무와 관련하여 주택의 가격을 산정하는 경우에 기준이 되는 것은 표준지공시지가이다. •29회 (O ¦ X)

정답 18 X (하여야 한다 → 하지 아니할 수 있다) 19 X (60일 → 30일, 국토교통부장관 → 시장·군수 또는 구청장) 20 O
21 X (단독주택 및 공동주택에서 → 단독주택 중에서) 22 O 23 X (산정한다 → 산정하지 아니할 수 있다) 24 O
25 O 26 X (표준지공시지가 → 개별주택가격 및 공동주택가격)

끝이 좋아야 시작이 빛난다.

– 마리아노 리베라(Mariano Rivera)

에듀윌 공인중개사 한손끝장 부동산학개론

발 행 일	2021년 7월 21일 초판 ｜ 2022년 7월 25일 3쇄
편 저 자	이영방
펴 낸 이	권대호
펴 낸 곳	(주)에듀윌
등록번호	제25100-2002-000052호
주 소	08378 서울특별시 구로구 디지털로34길 55
	코오롱싸이언스밸리 2차 3층

ISBN 979-11-360-1134-3

979-11-360-1133-6 (전5권)

www.eduwill.net
대표전화 1600-6700

여러분의 작은 소리
에듀윌은 크게 듣겠습니다.

본 교재에 대한 여러분의 목소리를 들려주세요.
공부하시면서 어려웠던 점, 궁금한 점,
칭찬하고 싶은 점, 개선할 점, 어떤 것이라도 좋습니다.

에듀윌은 여러분께서 나누어 주신 의견을
통해 끊임없이 발전하고 있습니다.

에듀윌 도서몰 book.eduwill.net
• 부가학습자료 및 정오표: 에듀윌 도서몰 → 도서자료실
• 교재 문의: 에듀윌 도서몰 → 문의하기 → 교재(내용, 출간) / 주문 및 배송

합격자가 답해주는

에듀윌 지식인

공인중개사
무엇이든지
궁금하다면

?

접속방법

에듀윌 지식인(kin.eduwill.net) 접속

에듀윌 지식인 신규가입회원 혜택

5,000원 쿠폰증정

발급방법 | 에듀윌 지식인 사이트 (kin.eduwill.net) 접속 ▶ 신규회원가입 ▶ 자동발급

사용방법 | 에듀윌 온라인 강의 수강 신청 시 타 쿠폰과 중복하여 사용 가능

※ 본 혜택은 예고 없이 다른 혜택으로 대체될 수 있습니다.

에듀윌
지식인

회원 가입하고
100% 무료 혜택 받기

가입 즉시, 공인중개사 공부에 필요한 모든 걸 드립니다!

무료 혜택 1	무료 혜택 2	무료 혜택 3	무료 혜택 4	무료 혜택 5
공인중개사 초보 수험가이드	공인중개사 초보 필독서	전과목 기본이론 0원	테마별 핵심특강	파이널 학습자료

시험개요, 과목별 학습 포인트 등 합격생들의 진짜 공부 노하우	지금 나에게 꼭 필요한 필수교재 선착순 100% 무료	2022년 시험대비 전과목 기본이론 무료 수강(7일)	출제위원급 교수진의 합격에 꼭 필요한 필수 테마 무료 특강	시험 직전, 점수를 올려줄 핵심요약 자료와 파이널 모의고사 무료

* 조기 소진 시 다른 자료로 대체 제공될 수 있습니다.   * 서비스 개선을 위해 제공되는 자료의 세부 내용은 변경될 수 있습니다.

신규 회원 가입하면
5,000원 쿠폰 바로 지급

* 해당 이벤트는 예고 없이 변경되거나 종료될 수 있습니다.

무료 회원
가입

친구 추천하고
한 달 만에 920만원 받았어요

2021년 2월 1달간 실제로 리워드 금액을 받아가신
*a*o*h**** 고객님의 실제사례입니다.

에듀윌 친구 추천 이벤트

친구 1명 추천할 때마다
현금 10만원

추천 참여 횟수
무제한 반복

※ 추천 참여 횟수 무제한
※ 해당 이벤트는 예고 없이 변경되거나 종료될 수 있습니다.

에듀윌 친구 추천 [검색]

친구 추천
이벤트

자세한 내용이 궁금하다면 1600-6700

eduwill

취업, 공무원, 자격증 시험준비의 흐름을 바꾼 화제작!

에듀윌 히트교재 시리즈

에듀윌 교육출판연구소가 만든 히트교재 시리즈!
YES24, 교보문고, 알라딘, 인터파크, 영풍문고 등 전국 유명 온/오프라인 서점에서 절찬 판매 중!

공인중개사 기초서/기본서/핵심요약집/문제집/기출문제집/실전모의고사 외 12종

주택관리사 기초서/기본서/핵심요약집/문제집/기출문제집/실전모의고사

7·9급공무원 기본서/단원별 기출&예상 문제집/기출문제집/기출팩/실전, 봉투모의고사

공무원 국어 한자-문법-독해/영어 단어-문법-독해/한국사 호름노트/행정학 요약노트/행정법 판례집/헌법 판례집/면접

7급공무원 PSAT 기본서/기출문제집

계리직공무원 기본서/문제집/기출문제집

군무원 기출문제집/봉투모의고사

경찰공무원 기본서/1차 기출문제집/모의고사/면접

소방공무원 기본서/기출문제집/실전, 봉투모의고사

맞춤형 화장품 조제관리사

검정고시 고졸/중졸 기본서/기출문제집/실전모의고사/기초다지기/총정리

사회복지사(1급) 기본서/기출문제집/핵심요약집

직업상담사(2급) 기본서/기출문제집

경비 기본서/기출/1차 한권끝장/2차 모의고사

전기기사 필기/실기/기출문제집

전기기능사 필기/실기

한국사능력검정시험 기본서/2주끝장/기출우선순위50/오디오

조리기능사 필기/실기

제과제빵기능사 필기/실기

SMAT 모듈A/B/C

ERP정보관리사 회계/인사/물류/생산(1, 2급)

전산세무회계 기초서/기본서/기출문제집

무역영어 1급 | 국제무역사 1급

KBS한국어능력시험 | ToKL

한국실용글쓰기

매경TEST 기본서/문제집/2주끝장

TESAT 기본서/문제집/기출문제집

운전면허 1종·2종

스포츠지도사 필기/실기구술 한권끝장

산업안전기사 | 산업안전산업기사

위험물산업기사 | 위험물기능사

토익 입문서 | 실전서 | 어휘서

컴퓨터활용능력 | 워드프로세서

정보처리기사

월간시사상식 | 일반상식

월간NCS | 매1N

NCS 통합 | 모듈형 | 피듈형

PSAT형 NCS 수문끝

PSAT 기출완성 | 6대 출제사 | 10개 영역 전기능

한국철도공사 | 서울교통공사 | 부산교통공사

국민건강보험공단 | 한국전력공사

한수원 | 수자원 | 토지주택공사

행과연형 | 휴노형 | 기업은행 | 인국공

대기업 인적성 통합 | GSAT

LG | SKCT | CJ | L-TAB

ROTC·학사장교 | 부사관